ДОКТОР БУБНОВСКИЙ

ЗДОРОВЬЕ ПОЗВОНОЧНИКА И СУСТАВОВ БЕЗ ЛЕКАРСТВ

СЕРГЕЙ БУБНОВСКИЙ

Я ВЫБИРАЮ ЗДОРОВЬЕ! | ВЫХОД ЕСТЬ!

МОСКВА
2018

УДК 615.89
ББК 53.59
Б90

Художественное оформление *С. Власова*

Литературный редактор *О. Игомонова*

Во внутреннем оформлении использованы
иллюстрации *А. Хозиной*

Фото на обложке из личного архива автора

Бубновский, Сергей Михайлович.

Б90   Я выбираю здоровье! Выход есть! / Сергей Бубновский. — Москва : Эксмо, 2018. — 240 с.

ISBN 978-5-04-089131-3

В этой книге доктор медицинских наук, профессор С.М. Бубновский дает рекомендации тем, кто по разным причинам потерял
способность полноценно двигаться или оказался в инвалидном
кресле. Она будет одинаково полезна и тем людям, которые недавно получили серьезную травму или перенесли тяжелую болезнь,
приковавшую их к больничной койке, и тем, кто уже много лет не
может передвигаться без инвалидной коляски.

Доктор Бубновский в юности попал в серьезную аварию. Про-
ведя долгие годы в борьбе с недугом, разработал собственную
систему медицинской реабилитации после травм и операций на
суставах или позвоночнике и стал основателем современной кинезитерапии — методики, которая помогает пациентам с тяжелыми
диагнозами улучшить или даже полностью восстановить здоровье
без лекарств.

УДК 615.89
ББК 53.59

ISBN 978-5-04-089131-3   ООО «Издательство «Эксмо», 2018

ОГЛАВЛЕНИЕ

Предисловие 11

**Глава 1
ЭТО ЖИЗНЬ** 16

**Глава 2
И ЭТО ТОЖЕ ЖИЗНЬ** 21
«Сидящие» и доживающие
(«сидящие» по убеждению) 21
«Сидящие» случайно 25
Паралимпийцы («колясочники») 38

**Глава 3
МЕДИЦИНСКАЯ РЕАБИЛИТАЦИЯ: НОВАЯ ОТРАСЛЬ
ЗНАНИЙ ИЛИ СЛУЧАЙНЫЙ НАБОР ИЗ РАЗЛИЧНЫХ
МЕТОДИК?** 43

**Глава 4
ВЫЖИВАНИЕ ПОСЛЕ ОПЕРАЦИИ** 51
Реабилитация после реанимации 54
Медицинская реабилитация — что это? 62

**Глава 5
ТРЕНАЖЕР КАК ИНСТРУМЕНТ МЕДИЦИНСКОЙ
РЕАБИЛИТАЦИИ** 67
Тренажерное оборудование, используемое
в медицинской реабилитации и кинезитерапии 68

Глава 6
ПРАВИЛЬНОЕ ДВИЖЕНИЕ, ИЛИ НЮАНСЫ
РЕАБИЛИТАЦИИ (КИНЕЗИТЕРАПИИ).............**80**

Мышечная ткань дает здоровье, ее атрофия —
болезни 83
О правильных и неправильных нагрузках 84

Глава 7
ПОЧЕМУ ВРАЧИ БОЛЕЮТ?....................**90**

Глава 8
О ДЫХАНИИ И ДЫХАТЕЛЬНЫХ МЫШЦАХ.........**96**

Глава 9
ПИТЬ ИЛИ НЕ ПИТЬ?.......................**110**

Глава 10
АЛЬТЕРНАТИВНАЯ МЕДИЦИНА, ИЛИ КАК УЙТИ
ОТ ЛЕКАРСТВ...........................**116**

Глава 11
ПО ВАШИМ ПИСЬМАМ.....................**122**

Сирингомиелия 122
Опущение тазовых органов — что делать? 127
Алина: «Я хожу!» 138
Инвалидность первой группы и вера в себя 151
Травма позвоночника: нужно ли оперировать 152

Глава 12
КОМПРЕССИОННЫЙ ПЕРЕЛОМ
ПОЗВОНОЧНИКА.........................**158**

Что мы знаем о мышцах 167

Глава 13
НЕ БОЙСЯ БОЛИ В СПИНЕ **171**

Восстанови себя сам: перелом шейного отдела
позвоночника 174

Перелом грудного и поясничного отделов
позвоночника 184

Формула здоровья 197

Алгоритм болезни 198

Глава 14
РЕАБИЛИТАЦИЯ: КАКАЯ ОНА ЕСТЬ И КАКОЙ
ДОЛЖНА БЫТЬ **199**

Реабилитация после спинальных травм 206

Болезнь как дистрофия 211

Невропатологи забыли про мышцы 212

ЗАКЛЮЧЕНИЕ 216

Приложение 1
АНАЛИТИЧЕСКАЯ ЗАПИСКА ПО РЕАБИЛИТАЦИИ
ИНВАЛИДОВ В РОССИИ **217**

В госучреждении — за плату, в частном центре —
по квоте 219

Приложение 2
КЛАССИФИКАЦИИ И КРИТЕРИИ, ИСПОЛЬЗУЕМЫЕ
ПРИ ОСУЩЕСТВЛЕНИИ МЕДИКО-СОЦИАЛЬНОЙ
ЭКСПЕРТИЗЫ ГРАЖДАН ФЕДЕРАЛЬНЫМИ
ГОСУДАРСТВЕННЫМИ УЧРЕЖДЕНИЯМИ МЕДИКО-
СОЦИАЛЬНОЙ ЭКСПЕРТИЗЫ **223**

I. Общие положения 223

II. Классификации основных видов стойких расстройств функций организма человека и степени их выраженности 224

III. Классификации основных категорий жизнедеятельности человека и степени выраженности ограничений этих категорий 227

IV. Критерий для установления инвалидности 233

V. Критерии для установления групп инвалидности . . 234

Эту книгу я посвящаю своему отцу, Бубновскому Михаилу Яковлевичу, инвалиду с детства, от которого я не слышал за всю жизнь ни одной жалобы на свое нездоровье. Единственное, однажды он посетовал на то, что врач отхватил ему всю правую руку вместе с плечевым суставом, не оставив даже маленькой культи. Он говорил: «А так в бане я мог бы этой культяшкой держать веник»...

В 84 года отец стал ощущать падение сил, и я положил его в больницу на обследование. Он пролежал (точнее, пробыл) там день, и когда я в очередной раз приехал его навестить, папа сел на кровать, свесил ноги и сказал: «Это все...» Я было стал его убеждать, мол, что ты, папа! Я же с тобой! Он сказал уже убежденно: «Нет, это все». Я сказал: «Что поделать! Поехали домой». И собрал его незамысловатые вещи.

Отец умер в тот же день, буквально через час. И до последнего мгновения ни на что и ни на кого не жаловался...

Он научил меня жить!

Предисловие

. . . .

Я давно понял, что хирурги не возвращают здоровье. Они спасают жизнь, и за это мы их любим и ценим. Но, видимо, именно этот факт «вырастил» в психологии хирургов феномен вседозволенности, и они увлеклись: теперь они зачастую отрезают все, что им не нравится, и заменяют отрезанное (или, как говорят врачи, резецированное) на импланты, а порой всего лишь зашивают или заклеивают зоны хирургического вмешательства. В этом случае, как говорится, без комментариев. Вопрос в другом: всегда ли хирургическое вмешательство помогает восстановить здоровье?

Я сам пережил несколько операций, а спустя какое-то время понял, что некоторые из них делать не стоило. Другое дело, когда возникает острое состояние или когда стоит вопрос жизни и смерти: если хирургам доставили пациента по скорой неотложной помощи, они его и спрашивать не будут о необходимости проведения экстренной хирургической помощи — они будут делать все, чтобы спасти его жизнь.

Но как относиться к хроническим заболеваниям, когда нужно сделать выбор: лечить или резать? Любой хирург говорит: «Если лечение (терапия) не помогает, значит, будем резать». Но в этом случае можно порассуждать: что это было за лечение, как и чем лечили этого пациента? Допустим, большинство врачей решило, что лечить лекарствами уже бесполезно и надо сдаваться хирургам. Пациент идет на операцию, и она проходит успешно… Но что дальше?

После операции родственники пациента спрашивают хирурга:

— Доктор, о́н будет жить?

— Да, конечно, жить он будет, — отвечает хирург, меняя окровавленный халат на свежий, чистый и белый. Но КАК будет жить прооперированный им пациент, врач не ответит никогда — он может только предполагать и на всякий случай дать пациенту некоторые советы, хотя на самом деле хирурги плохо понимают, что такое реабилитация после операции. Но пациент все равно послушает советы своего врача.

Реабилитация после операции — это очень важный процесс. Пациент должен понимать, что хирург не знает, что такое медицинская реабилитация, это не его епархия: восстановлением пациентов после хирургической операции должны заниматься реабилитологи. Но, несмотря на это, хирурги все равно дают своим пациентам рекомендации по реабилитации, после которых у пациентов очень часто возникают проблемы. Я думаю (но это только мое личное мнение), что очень часто хирурги боятся за свои действия, и чтобы после операции с их пациентами не случилось ничего плохого (например, расхождения швов, незапланированных кровотечений, опущений органов — птозов, послеоперационных грыж и т. п.), они запрещают своим пациентам после выписки из стационара любые активные действия, и реабилитологи (которых на самом деле очень мало) им не указ!

А жаль! Хирурги, конечно, спасли больному жизнь, удалили или заменили то, что угрожало или мешало его здоровью, но как жить человеку дальше, после операции? В страхе и бездействии? Получается, что так, потому что вместо активных действий (правильных, конечно) пациенту назначаются таблетки горстями и полный покой. Но при таком раскладе здоровье прооперированных в скором времени снова начинает угасать, и зачастую это происходит уже через один-два года после операции… Тогда пациент снова обращается к хирургам, и они предлагают ему новую операцию, потому что ничего другого они предложить не могут. Но важно знать, что «реабилитация» таблетками и покоем вместо компенсации утраченного органа или части соединительной ткани заводит в тупик: рубцы и спайки в зоне операции делают свое черное дело, покой приводит к атрофии мышц в оперативном поле, а таблетки — к побочным осложнениям.

Мы живем в жестоком мире, в котором за место в организме человека сражаются две противоположные энергии — энергия болезни и энергия здоровья. Если побеждает энергия болезни, то пациенту кажется, что надо сдаваться хирургу, потому что таблетки уже не помогают (а это первое условие победы энергии болезни). Возможно, это действительно будет правильным решением, но надо ли торопиться? Если без хирургического вмешательства уже не обойтись, то в этом случае необходимо хорошо подготовиться к операции, причем не столько деньгами, как приучают нас средства массовой информации, а подготовиться также физически и психологически. Этот этап жизни больного человека можно назвать дооперационной реабилитацией. К сожалению, она не развита и не принята практически нигде в мире, ни в одной стране, но при такой подготовке организм лучше перенесет операцию. Пройдя дооперационную реабилитацию (ярким примером такой реабилитации является подготовка к эндопротезированию суставов или элементов сердечно-сосудистой системы), организм будет готов и к потере крови во время операции, и наркозу, который тоже может быть проблемой. После такой дооперационной подготовки пациент вернет себе полноценную трудоспособность в более короткие сроки после операции — благодаря уже послеоперационной реабилитации.

Но такой культуры в медицинской практике нет, как нет и культуры дооперационной реабилитации, которой особенно остро не хватает современной медицине. Этот пробел очевиден в лечении заболеваний и костно-мышечной системы, и сердечно-сосудистой, и урогенитальной, и даже в онкологии. Для пациента, безусловно, что-то все-таки делается, порой даже очень дорогостоящее, но делается все это только после операции. Об этом мне и хочется поговорить, и именно на это хочется обратить внимание, так как через некоторое время после операции (стандарт врачебного контроля после операции —

две недели) прооперированные пациенты оказываются брошенными и забытыми врачами: они не знают, что им можно и нужно делать, а что нельзя, хотя изначально они обратились к врачам именно для восстановления трудоспособности и здоровья.

Чтобы меня как автора не обвинили в предвзятости, я включил в эту книгу письма пациентов — разумеется, с моими комментариями.

Глава 1
ЭТО ЖИЗНЬ

Я рос в частном доме. Не в квартире, не в коммуналке — это будет позже. В начале моей жизни был большой дом с русской печью, в которой мама готовила потрясающие щи, борщи, картошку с мясом. Моя мама была фармацевтом, папа — учителем. У нас был двор, огород и коровник. В то время это был поселок Сургут, что в Тюменской области. Сейчас Сургут — это город, в котором уже нет деревянных домов и огородов, но есть нефть и газ. Но я помню именно тот поселок, где прошли мои первые годы жизни.

Это было незабываемое время, в котором было все самое главное для здоровья (я сейчас шучу о «трудном» советском детстве). В будни на нашем столе часто появлялась уха из щуки, ерша или карася, а в праздники — черная осетровая икра. На второе готовили осетра, муксуна, нельму, пельмени и дичь. Наша корова давала нам молоко, из которого мама делала сметану и творог. Но за домом и коровой надо было ухаживать, а дары природы добывать. Мать работала в доме, отец во дворе — а как же иначе?

Почему я об этом говорю? Отец хозяйничал, как и подобает мужчине: колол дрова, косил траву для коровы, копал огород. Я помню, как однажды вышел во двор, где отец колол дрова: вот это было зрелище! Его рука с топором вздымалась вверх и резко опускалась на чурку, которая разлеталась в стороны двумя половинками. Мощь, сила, красота! Я подошел поближе, и одна половинка чурки попала мне в голову, в нос. Так я получил свою первую травму носа. Но никакой паники у меня не возникло. Мама приложила мне к лицу компресс со льдом, а папа продолжал колоть дрова… одной рукой: второй руки у него не было. В 14-летнем возрасте, когда он приехал учиться в город Омск, его однажды столкнули с трамвая, и он попал под другой, встречный, и в результате остался без руки. Позже он часто сетовал на то, что хирурги оттяпали ему всю руку целиком — могли бы оставить хотя бы культю, которой можно было бы что-нибудь держать, например веник в бане. Отец косил траву, пользуясь специальным ремнем, перекапывал огород, и все делал одной рукой, левой, хотя раньше он был правшой. Он хотел быть учителем математики, но на уроках геометрии ему была бы нужна и вторая рука, поэтому он выбрал русский язык и литературу и писал левой рукой, четко, каллиграфически.

В старших классах я сам тоже учился у своего отца, и он был для меня лучшим учителем не только по школьным предметам, но и в жизни. Папа с самого детства учил меня мужеству и стойкости, поэтому я никогда не обращал внимания на различные травмы: как говорится, слава богу, что жив остался! Мои родители никогда не охали и не причитали над моими царапинами, ушибами, порезами и т. д., только советовали, что могли. Мама работала в аптеке, но почему-то всегда лечила меня народными средствами. Никаких лекарств в доме не было, разве что у бабушки. Так я и вырос.

Пройти через травмы мне, конечно, помог отец. Он, инвалид с детства, никогда и нигде не пользовался своим правом инвалида, разве что много лет спустя использовал свою инвалидность для получения квартиры для меня. Тогда я получил комнату в коммуналке и смог жить отдельно, в более комфортных условиях: на тот момент у меня уже было двое детей.

Мой отец никогда не жаловался на здоровье. Он регулярно делал гимнастику, любил петь и очень любил свою жену — мою маму. Он заплакал лишь однажды, когда я вернулся из армии на костылях и с трудом вошел в дверь, потому что еще не научился ими пользоваться. Но они же с мамой получили известие, что я не вернусь из армии живым, а мне потом пришлось выкарабкиваться из своей беды так же, как и моему отцу.

Однажды в разговоре со своим приятелем я позволил себе пожаловаться на боли в ноге и спине, но увидев брезгливый взгляд собеседника, спрятал сопли и решил жить без них — без паники и жалости к самому себе. Я стал искать выход из своего положения и в конце концов нашел его.

Казалось бы, все это было уже давно и быльем поросло, но, став врачом, я вдруг снова столкнулся с проблемами инвалидов. Оказывается, инвалиды являются одной из составляющих любого общества, и эта составляющая представляет собой огромное количество людей, не способных самостоятельно передвигаться или себя обслуживать, особенно в первое время после травмы или болезни. И в настоящий момент общество инертно и не готово полноценно им помогать. Конечно, я не могу отрицать, что для инвалидов создаются специальные условия и общество оказывает им определенную помощь, но все это делается как-то нехотя, по остаточному принципу (см. приложение 1). Жизнь показывает, что если в жизни инвалидов и происходит что-то позитивное, то прежде всего благодаря самопомощи. Наиболее устремленные к жизни инвалиды ничего не просят и не требуют — они стараются помочь себе сами, а если это у них получается, то помогают другим инвалидам.

> **Инвалиды бывают разные: одни хотят жить активно, другие просто доживают, а третьи стремятся использовать свое нездоровье для получения каких-либо социальных благ. И вторых, и третьих не надо корить — это их выбор. Но надо помогать первым, потому что от них может быть намного больше пользы обществу, чем от некоторых ходящих, сытых, здоровых и… безразличных.**

Но здоровое общество просто обязано помогать инвалидам и создавать условия для адаптации к своему здоровью и состоянию. Необходимо максимально включать инвалидов в общественную жизнь хотя бы потому, что они другие! Но инвалиды нуждаются прежде всего в физической реабилитации, а не в уходе и путевках в санатории, хотя это тоже не лишнее. Человек, переживший личную катастрофу и выживший, другой! Он все воспринимает более остро и глубоко! Его необходимо обязательно выслушать, и он, инвалид, должен видеть, что нужен этому обществу! Иначе будет трагедия: у него пропадет желание жить, и в этой трагедии будет виновато общество.

Я стараюсь создавать именно такие программы физической реабилитации, в которых сам инвалид должен активно участвовать. Существующие программы реабилитации меня не устраивают, потому что в большинстве случаев они заставляют работать инвалида в пассивном ключе (см. приложение 2), к тому же эти пассивные реабилитационные тренажеры очень дорогие.

> Человек, переживший личную катастрофу и выживший, другой: он все воспринимает более остро и глубоко.

Но инвалиды тоже очень разные: одни хотят жить активно, несмотря на потерю здоровья, другие просто доживают, а третьи максимально используют свое нездоровье для получения от общества каких-то социальных благ. И вторых, и третьих не надо корить — это их выбор. Но надо помогать первым, потому что от них может быть намного больше пользы обществу, чем от некоторых ходящих, сытых, здоровых и… безразличных.

Глава 2
И ЭТО ТОЖЕ ЖИЗНЬ

. . . .

«СИДЯЩИЕ» И ДОЖИВАЮЩИЕ
(«СИДЯЩИЕ» ПО УБЕЖДЕНИЮ)

Выйдя в городе на улицу, осмотритесь: вы видите инвалидов? Если не присматриваться, то их не видно: перед нашими глазами проходят в основном молодые или деловые люди, которые всегда куда-то торопятся. Правда, порой взгляд все-таки будет натыкаться на располневшие и малоподвижные тела, которые идут медленно и мешают целенаправленному движению потока здоровых людей. Это можно сравнить с камнями в горной реке, которые тоже создают турбулентность потока, но остановить движение потока камни не могут, потому что вода обтекает эти камни. Такую же картину мы наблюдаем на улице, а что мы не видим? Мы не видим людей, которые сидят в своих квартирах и смотрят телевизор — другими словами, мы не видим тех жителей города, которые с трудом передвигаются по квартире.

Обычно в таких квартирах на самом видном месте стоит тумбочка с горой таблеток, а комнату наполняет тяжелый запах — удушающий, застойный, лекарственный. Комнаты таких квартир завалены хламом, сами сидящие в квартирах выглядят неряшливо и неопрятно, и недовольство жизнью сквозит у них во всем теле, взгляде, мимике, интонации голоса. И таких сидящих миллионы! Инвалиды? По отношению к себе и к жизни, наверное, да!.. Однако далеко не все из них являются инвалидами по документам. Я называю этих людей доживающими.

Всех этих «сидящих» людей при внимательном рассмотрении можно условно разделить на две не совсем равнозначные группы (см. таблицу 1).

Таблица 1

«СИДЯЩИЕ» ПО УБЕЖДЕНИЮ (ДОЖИВАЮЩИЕ)	«СИДЯЩИЕ» СЛУЧАЙНО (НЕСМИРИВШИЕСЯ)
А) Нуждающиеся в уходе, неработающие и не способные себя обслуживать, а главное — не желающие что-то менять	А) Старающиеся выбраться из зависимости от ухода или специальных приспособлений
Б) Получившие инвалидность, как правило, в результате хронических заболеваний, появившихся в течение жизни	Б) Работающие или создающие возможность для работы в любых условиях

Первая группа — это инвалиды по убеждению. Они, доживающие, должны получать пенсию, но желательно пенсию по инвалидности, то есть несколько раньше срока. По этой причине данная категория людей еще в период, казалось бы, работоспособного возраста начинает регулярно посещать районную поликлинику: а) для получения лекарств, б) для фиксации своей пока еще временной нетрудоспособности.

Такая тактика, в конце концов, срабатывает: они накапливают необходимое количество внутренних заболеваний, которые позволяют им получить столь желанную пенсию по инвалидности раньше положенного срока на пять, а то и на десять лет. К сожалению, из-за болезней они и состарились намного раньше положенного для этого срока, не дотянув лет тридцать до восьмидесятилетнего рубежа. Но эти тридцать лет, оставшиеся до восьмидесяти, они, возможно, проживут, но как? Порой эта оставшаяся жизнь на пенсии по инвалидности тянется дольше, чем был их работоспособный возраст.

Но на этом смысл жизни «сидящих» заканчивается, и они начинают доживать. Надо ли их за это презирать, ненавидеть или не любить? Ни в коем случае! Это надо принять. Это как лес, состоящий из высоких, мощных, красивых деревьев и деревьев, поваленных бурей и лежащих на земле, которые не мешают остальному лесу расти и очищать воздух.

Современная медицина не даст человеку умереть, пока он дает ей хотя бы какие-то деньги. По этой причине «сидящих» становится с каждым годом все больше и больше. Благодаря лекарствам и другим достижениям современной медицины в Европе растут целые города пенсионеров, не способных себя обслуживать…

> **Эта книга для тех, кто не смирился, а именно:**
> * **кто стремится выкарабкаться из сложившейся ситуации;**
> * **кто справился, но желает улучшить качество своей жизни;**
> * **кто попал в тяжелую ситуацию, хочет из нее выкарабкаться, но не знает, с чего начать.**

Вторая группа — это истинные инвалиды, или «сидящие» случайно. То есть люди, потерявшие здоровье и трудоспособность в результате несчастного случая или тяжелой болезни, в том числе и в результате военных действий. Однако они продолжают работать, как могут, и продолжают играть активную роль в жизни своей семьи или общества.

Если вы не разделяете активную жизненную позицию и отнесли себя ко второй группе, отложите эту книгу и не мучайте себя ее прочтением! Хотя люди из этой группы постоянно говорят о своем желании вернуть здоровье, но, к сожалению, дальше разговоров у них дело не идет.

Эта книга для тех людей, которые не смирились:

а) кто хочет и делает все для того, чтобы выкарабкаться из сложившейся ситуации;

б) кто справился, но желает улучшить качество своей жизни;

в) для тех, кто попал в такую ситуацию и хочет выкарабкаться из нее, но не знает, с чего начать.

«СИДЯЩИЕ» СЛУЧАЙНО

Мой коллега М. Котляревский любил повторять афоризм: «Вся наша жизнь — это цепь неслучайных случайностей».

В современной кинезитерапии тоже есть свой афоризм: «Правильное движение лечит, неправильное калечит». А другой мой товарищ, А. Яновский, в ответ говорил: «Страшно подумать, что ход нашей жизни порой нарушает одно неловкое движение». Да, это так. Во всяком случае, мои собственные проблемы со здоровьем на определенном жизненном этапе вполне могут быть проиллюстрированы этими двумя афоризмами, если объективно проанализировать все травмы, которые в свое время я получил, но остался жив. А дальше мне пришлось делать выбор: попасть в первую группу или вторую. Но в любом случае начинал я с первой, то есть доживал, так как еще не знал и не понимал, что и как делать и как из нее выкарабкаться.

В эту группу попали и истинные «колясочники» с необратимыми потерями в здоровье, которые мешают им адаптироваться к активному обществу из-за множества преград, связанных прежде всего с отсутствием бытовых условий: пандусов, специальных лифтов в общественном транспорте, правильных светофоров и прочего. Я считаю, что общество должно активно помогать этим не сдавшимся из-за травмы или болезни людям осваивать окружающее пространство, но задача этой книги заключается в оказании не социально-психологической, а медико-реабилитационной помощи.

Есть много случаев, когда полная физическая реабилитация бывает возможна даже при получении тяжелых травм. Но пострадавшие люди не знают, что им делать, а врачи поликлиник не обладают достаточными знаниями в этих вопросах, поэтому отсылают их в санатории (см. приложение 1) для реабилитации и в специализированные центры.

> **Страшно подумать, что ход нашей жизни порой нарушает одно неловкое движение.**

Медицинская реабилитация очень молода, но ее роль в восстановлении трудоспособности огромна. И правильная медицинская реабилитация действительно может сделать чудеса, особенно в первый период после получения травмы (до года). Порой после прекрасно проведенных хирургических операций пострадавший не может вернуться к активной жизни из-за отсутствия адекватной послеоперационной реабилитации.

Я часто повторяю: хирурги не делают людей здоровыми, они либо спасают жизнь (честь и хвала им за это), либо отрезают все, что им не нравится, и вживляют импланты. Но как жить дальше человеку после хирургической операции? Мы регулярно слышим по телевизору обращение к людям о материальной помощи на проведение дорогостоящей операции ребенку. Это понятно, но этот ребенок как будет жить дальше, после операции?

Практически никогда не говорится о том, что после любой операции, тем более сложной, требуется намного больше усилий и времени на адаптацию к жизни, и на это порой уходит вся оставшаяся жизнь! А если продолжать проходить реабилитационные процедуры в условиях клиники, то стоимость реабилитационных процедур в конце концов становится намного больше, чем стоимость корригирующей операции.

Можно ли проходить реабилитацию самостоятельно? Эта книга будет хорошим помощником тем, кто ищет ответ на этот вопрос, и прежде всего тем, кто выбрался из лап смерти или тяжелой болезни и хочет жить полноценной жизнью, если такое желание есть, но знаний нет.

Инвалидам по убеждению мои рекомендации вряд ли помогут, так как истинная реабилитация имеет определенный поведенческий алгоритм, который определяется следующими понятиями:

● восстановление здоровья — это труд (собственный);

● труд — это терпение (то есть время);

● терпение — это страдание (умение пройти через боль без таблеток);

- страдание — это очищение (сосудов, органов и суставов, опять же без лекарств);
- очищение — это здоровье (которое надо принять таким, до которого сумел дойти, и расширять свои функциональные возможности всю оставшуюся жизнь).

> **После прекрасно проведенных хирургических операций пострадавший порой не может вернуться к активной жизни из-за отсутствия адекватной послеоперационной реабилитации.**

Именно ради «сидящих» с активной жизненной позицией я и написал эту книгу.

Чтобы вы могли глубже погрузиться в тему медицинской реабилитации, я привожу историю одной из пациенток Центра доктора Бубновского Алины (с ее разрешения. — *С.Б.*). Алине 23 года. В настоящее время она активно помогает нам в работе со спинальными больными, хотя раньше у этой девушки были совсем иные жизненные планы.

Рассказ Алины

Это произошло в начале января 2016 года. Я пошла на работу, и у меня начала болеть левая рука: в ней появилось странное ощущение, словно жжение, которое все усиливалось и усиливалось. Это продолжалось до обеда. Сначала я ничего плохого не подумала. Я решила попробовать массажную кровать — подумала, может, отпустит.

Но почувствовала себя еще хуже: боль стала такой невыносимой, что меня даже в пот бросило. Я позвонила своему молодому человеку, и он предложил отвезти меня к врачу-мануальщику. Но легче мне не стало.

Вернувшись домой, я ходила по квартире и в какой-то момент почувствовала, что моя левая нога сначала начала спотыкаться, а потом стала уходить куда-то в сторону. Я испугалась, что упаду — я была дома одна. На всякий случай открыла входную дверь, пошла в сторону кровати и поняла, что у меня отказывает уже и правая нога. Я легла на кровать, закрыла глаза, и секунд через двадцать боль меня отпустила, отпустила полностью! У меня вообще ничего не болело! Я подумала, что оказалась в раю, так мне было хорошо.

Но потом открыла глаза и подумала: где мои ноги? Я лежала на животе и ног не чувствовала. В тот момент мне не было особенно страшно, потому что я не понимала, что со мной происходит: может быть, я просто сплю? Когда пришел близкий мне человек, мы вызвали «Скорую», а пока эта «Скорая» к нам доехала (она ехала очень долго), я уснула, и меня не стали сразу забирать в больницу. Но на следующее утро ничего не поменялось: меня парализовало от подмышек и ниже. Руки у меня работали, но я ощущала свое тело только до ключиц, а все, что ниже, я уже не чувствовала. Пришел знакомый врач меня осмотреть, но я не чувствовала, что меня кто-то трогает.

Меня отвезли в обычную областную больницу, сделали МРТ, КТ, взяли все анализы. У меня обнаружили мальформацию, очень большую, примерно на пять позвонков. Это очень большая сосудистая опухоль.

Лежала я на специальной медицинской кровати, которую я сама могла поднимать пультом. И первый раз, когда я это сделала, я потеряла сознание.

На второй-третий день ко мне начал приходить инструктор ЛФК. Он пытался меня посадить, и каждый раз, когда он меня сажал, я почти сразу теряла сознание: у меня кружилась голова, я была как неваляшка.

Я пролежала там почти месяц. Ко мне приходил массажист делать массаж, это и было лечение: помяли мне ноги минут двадцать, и все! Еще мне кололи капельницу — я не знаю, что в ней было. Но массаж мне делали всего один раз, а потом инструктор ЛФК всего лишь поднимал мне ногу, потом другую, затем переворачивал меня на живот, делал со мной какие-то манипуляции и уходил. А я целый день лежала. Один раз я попробовала сесть в коляску, но мне стало совсем плохо.

Потом я попала в больницу РЖД, в реабилитационный центр. Там со мной начали заниматься: ставили опору под ноги так, чтобы я лежала, но чувствовала, что как будто я стою. Но я все еще до сих пор ничего не чувствовала — единственное, когда мне поднимали ногу, я как бы издалека понимала, что кто-то прикоснулся к моей ноге, но это было где-то далеко. В этой больнице я пробыла одиннадцать дней. Мне делали капельницы, со мной занимался реабилитолог: отведение — приведение, колени отводили и т. д.

После этого я решила поехать домой. Лежать где-то бесплатно без всякого лечения было бессмысленно, а за деньги… Их надо еще заработать, чтобы попасть в хороший центр. Пока лежала, я изучала в Интернете информацию, искала какие-то варианты… Я не видела смысла своего существования и не понимала, что мне делать дальше и есть ли у меня шансы встать на ноги. Врачи говорили, что они на этот счет ничего сказать не могут, а мне очень хотелось услышать от них, что я пойду. Я мысленно молила их: просто соврите мне и скажите, что я пойду, чтобы у меня появился хоть какой-то стимул! Но врачи мне этого не говорили. Но мне повезло: со мной всегда был близкий мне человек, который меня очень поддерживал и говорил мне, что все будет хорошо, что я буду заниматься и буду ходить.

Из больницы мы приехали домой. Мне купили резинки — эспандеры от 1 кг до 10 кг, манжеты, за которые подвешивать, коврик, мяч и т. д. Я начала ложиться на пол и заниматься. В социальной сети «Одноклассники» я попала в группу Л. А. Кравец и там увидела, как занимаются другие. Там я не нашла никого с мальформацией, но, глядя на других, я начала хотя бы примерно понимать, что нужно включать. Мне говорили, например, как качать ноги, как качать пресс. И мой близкий человек мне в этом помогал, говорил, как и что мне включать. Он подвешивал мою ногу, а я смотрела на нее и видела, что она вообще не может двигаться.

Сначала у меня очень сильно напрягалась голова: буквально через пару движений мне нужно было остановиться и подышать. Я могла заниматься максимум по 2—3 минуты, а потом мне был необходим отдых. В это время уже был март месяц (а все это произошло со мной в январе). Я попробовала встать всего на пару секунд, и у меня все кружилось, но ощущения были классные… Я ничего не чувствовала, но я смотрела на себя в зеркало и понимала, что я стою! Это тоже дает ощущение, когда ты смотришь на себя в зеркало и видишь, что ты стоишь, и это круто!

Потом мои ноги стали двигаться все лучше и лучше. Я делала упражнения: клала на пресс тарелку, в нее две пачки молока и дышала, чтобы укрепить пресс. Я пыталась разнообразно включать тело в работу, мне помогали.

Как я в себя поверила? Не могу сказать, что это было легко. Когда я была здорова, у меня был молодой человек, и когда я заболела, он остался со мной. И это дало мне стимул к тому, чтобы я снова стала здоровой. Сама я поверила в это совсем недавно, когда у меня начало что-то получаться. А изначально все держалось только на моем молодом человеке: он каждый день приходил ко мне в больницу и говорил, что я буду ходить. Он говорил мне, что останется со мной, что бы ни случилось. И это помогало. В тот момент я в себя не верила, но думала, что должна бороться за свое здоровье хотя бы ради него.

Смириться с таким состоянием было непросто. До этого случая я пять лет занималась спортивными танцами и всегда была в движении, а тут лежу как мертвый человек — одна голова работает. Но если рядом кто-то есть, кто тебя поддерживает... Я, наверное, до сих пор только ради него это все и делаю. Теперь и для себя, конечно, но первые полгода я делала все это только ради него.

Всякое было. У меня стоял мочевой катетер, потому что я не могла ходить в туалет, никак. Я вычитала в группе, что катетер — это плохо, надо стараться ходить самостоятельно. Потом мы посмотрели, как пользоваться одноразовыми катетерами, и я перешла на них, а потом просто на памперсы.

Я занималась понемногу каждый день. У меня как-то быстро начало все получаться, и я даже не могу вспомнить тот момент, когда наступило улучшение: еще недавно я вообще не двигалась, и вот я уже дома делаю «дракон» (это упражнение на МТБ, адаптированное для дома, которое выполняется на резиновых амортизаторах), лежа на боку. У меня есть дневник, в который я записывала свои достижения, чтобы потом вспомнить, как это все было.

Дома я занималась по методике Бубновского, но только на слабых весах — на том, что у меня было. Вскоре я дошла до предела и заметила, что остановилась на месте: я делаю одно и то же, и мне не становится лучше. Я поняла, что мне нужно попасть непосредственно в Центр Бубновского и там заниматься на МТБ. В Центре Бубновского можно делать сотню разных упражнений, а дома я делала только самые минимальные упражнения — те, которые я нашла сама, и только с резинками. А в центре столько упражнений, что я их все даже не могла запомнить, поэтому записывала.

И тут, в центре, во время занятий я почувствовала, как у меня по очереди начали включаться мышцы. И каждый раз я буквально вскрикивала от восторга!

Сейчас мое состояние уже сильно отличается от того, что было со мной полгода назад, и даже по сравнению с тем, что было месяц назад, тоже видна большая разница. Я здесь всего две недели, и за две недели у меня уже такие результаты, что я могу сказать, что я счастлива! И меня больше вообще не коробит, что я в коляске — я не чувствую ее, я знаю, что это не мое. Мне кажется, что в коляске я временно, потому что когда я пересаживаюсь на коврик и к тренажерам МТБ, то чувствую себя полноценным здоровым человеком! Меня очень хвалят реабилитологи, потому что я делаю то, что с первого раза или со второго раза сложно сделать такому человеку, как я, — спинальнику.

И еще хочу я сказать про катетеры. Когда я сняла катетер и надела памперс, то попала в больницу с двусторонним острым пиелонефритом. Моча у меня выходила, но очень плохо. Я пересаживалась в туалет и сидела там, мучилась, но ничего не получалось. После больницы мне снова надели катетер и сказали, что снимать его нельзя, потому что это очень опасно. Но катетер я все-таки сняла и через какое-то время смогла обходиться в этом плане самостоятельно.

Сейчас я все по дому делаю самостоятельно: готовлю, убираюсь, стираю — все, что делает обычная женщина. И я жду не дождусь, когда настанет следующий день, чтобы снова приехать в центр. Честно! И здесь, в центре, когда заканчиваются два часа моих занятий и мне говорят: все, пойдем на коляску, то я удивляюсь: как все? Я хочу еще, я не устала! Мне хочется заниматься еще и еще, тем более если тебя хвалят, у тебя все получается, а они удивляются. Конечно, нас обязательно надо поддерживать, но когда просто говорят «молодец» — это одно, а когда реабилитолог подходит и удивляется, какая ты молодец и что у тебя получается то, что сложно сделать, тогда мне хочется просто летать от радости!

В больнице я пробовала ЛФК, но, когда побываешь в центре, ты уже можешь сравнить. Если сравнить ЛФК и другие методики, то здесь, в Центре Бубновского, есть абсолютно все, что только можно себе представить. Здесь можно делать любые упражнения, на все мышцы. Я здесь всего две недели, но я уже начала сгибать ноги на себя, лежа на животе! А ведь это самое трудное для «спинальников», потому что эти мышцы включать тяжело — ноги-то тяжелые! А у меня это получилось! От радости я была готова салют запускать! И как сюда не идти, если здесь с тобой происходят такие замечательные перемены! Меня просто распирает от чувств, так это все эмоционально! У меня на каждом занятии словно открывается какое-то второе дыхание, и я чувствую себя так, будто меня две: одна здоровая, которая помогает мне больной.

Сначала, еще до того, как я начала заниматься в Центре Бубновского, я как девушка сильно переживала: вдруг у меня что-то пойдет не так, вдруг я опишусь… Потому что, когда занимаешься, начинают включаться все мышцы, и кишечник тоже. Но я стала ходить в туалет — это была такая радость! И я испугалась: вдруг у меня все так хорошо включится, что все начнет вылетать. И я стеснялась, конечно — но нет, ничего такого не произошло!

Реабилитологи — они как друзья: они настолько хорошо меня чувствуют, что я ощущаю себя с ними на одном уровне: у меня нет такого ощущения, что они все ходячие и могут меня как-то презирать. Ничего подобного! Сейчас они мои самые лучшие друзья. Я сейчас уже не общаюсь с моими прежними друзьями, ни с кем, но мои друзья здесь — они все! Со мной занимается один реабилитолог, но при этом я чувствую поддержку и всех остальных, кто находится вокруг. Здесь очень дружно, и это тоже большой плюс: я очень общительный человек, и мне нужна энергия — без этой энергии я не смогу нормально существовать, и если я останусь одна, то, наверное, сойду с ума. А здесь окружающие дают мне эту энергию, очень нужную.

Первое время я сидела дома, а теперь стала гулять. Сначала мне было тяжело выносить даже взгляды людей, и я даже злилась: одна я, что ли, на свете такая? Таких же много! А люди смотрят так, будто они первый раз в жизни видят инвалида. Так что на улице ощущение было очень неприятное. А сейчас мне стало все равно, и я стала гулять, и никто на меня так не смотрит. Или раньше я себе это только воображала? Но сейчас я уже полноценный человек, такой же, как все — по крайней мере, в своем сознании.

Сейчас я сама пересаживаюсь в коляску и в кровать. И я чувствую упор в ноги. Раньше, полгода назад, я делала все руками. Но сейчас, когда я приезжаю домой, то сразу понимаю, что реабилитологов рядом нет — я дома, и мне надо вспоминать все, чему меня научили. И каждый раз, когда мне дома надо сделать какое-то действие, я вспоминаю, что мне говорили реабилитологи: там выдохни, там напрягай ноги, там старайся делать так и так. И я стараюсь! Когда я пересаживаюсь в кровать, я сначала переставляю ноги и чувствую, что я на них опираюсь. И мне кажется, что я даже могу встать на свои ноги — в чем дело? И это удивительное ощущение, когда ты начинаешь чувствовать опору... И у меня восстановилась чувствительность: я сейчас полностью чувствую, где меня трогают! Мне проверяли пятку — у меня работает каждый импульс, буквально все! И теперь я уверена даже больше, чем мои реабилитологи, что я буду ходить!!!

P.S: Алина стала работать в Центре Бубновского на Авиамоторной (Москва). Она консультирует спинальников до приезда в центр, а после этого регулярно дает отчеты по результатам работы с ними наших врачей и реабилитогов. Ее почта rehab@bubnovsky.org.

> После любой операции, тем более сложной,
> требуется намного больше усилий и времени на
> адаптацию к жизни, и на это порой уходит вся
> оставшаяся жизнь.

ПАРАЛИМПИЙЦЫ («КОЛЯСОЧНИКИ»)

Это особая категория инвалидов, избравших для
себя активную жизнь в коляске и участвующих в паралимпийском движении. Лично я работаю со сборной России по фехтованию на колясках, тренером
которой является Елена Борисовна Белкина.

Мы познакомились случайно, через кинезитерапию, но вскоре наше знакомство переросло в длительное сотрудничество. Сначала я писал для них
программы, аналогичные тем, которые мы пишем
для «спинальников», мечтающих встать из коляски.
Но в итоге задачами спортсменов-паралимпийцев
стали коррекция здоровья и адаптация к спор-
ту. Встать из коляски они и не помышляют, так как
живут очень активной и интересной для них жизнью. Они участвуют в различных международных
соревнованиях, которые проходят в разных стра-
нах, поэтому много путешествуют, и такая жизнь им
нравится.

В паралимпийском спорте существует своя клас-
сификация инвалидности, и спортсмены выступают
каждый в своей категории в соответствии с клиникой.
Но многие категории качества инвалидности являют-

ся размытыми, например, в группу «колясочников», к которым относятся «спинальники» — спортсмены, повредившие нервно-мышечную связь (спинной мозг, управляющий мышцами), входят также и спортсмены с некоторыми формами ДЦП. Но между ними есть большая разница: когда спортсмен пользуется коляской, но спинной мозг у него не поврежден, то такому спортсмену-паралимпийцу фехтовать намного легче, чем «спинальнику». Тем не менее в этой группе все спортсмены-паралимпийцы сражаются без скидок на разницу в патологии.

В моей практике были случаи, когда благодаря кинезитерапии спортсмен вставал из коляски. Это вызывало гнев со стороны администрации паралимпийского спорта, потому что спортивные чиновники рассчитывали на этого спортсмена… Такой подход стал для меня первым уроком работы с паралимпийцами.

> Чтобы освободить кишечник, необходимо «включить» плохо работающие мышцы тазового дна, брюшного пресса и мышцы поясничного отдела.

Первые занятия с паралимпийцами-фехтовальщицами дали свои результаты, хотя на начальном этапе какой-то специфики в работе с ними я не уловил. Но Елена Борисовна Белкина отметила, что спортсмены (и мужчины, и женщины) стали меньше болеть и у них повысилась общая выносливость. Это, конечно, хорошо, но меня все-таки что-то не устраивало: вставать они из коляски не хотели, а заниматься спортом готовы были очень серьезно. Пришлось перестраивать тактику на ходу: им нужны были медали! Это естественно, но где мне взять для этого ресурсы, если я не тренер, а врач?

> **В каждом виде паралимпийских дисциплин есть своя специфика, и врач или специалист по ОФП должен ее понимать и подстраивать под нее организм спортсмена.**

Чтобы понять специфику их деятельности, я поехал сначала на чемпионат России на озеро Круглое под Москвой, затем на Кубок мира в Венгрию. Для меня это было очень полезно. Оказалось, что одной из основных проблем паралимпийцев (здоровому человеку это и в голову не придет!) являются эти самые перелеты, во время которых они практически не могут посещать туалет. В результате у них возникает застой в органах малого таза, появляются отеки и начинается потеря энергии из-за самоотравления организма и ухудшения качества крови. Если учесть, что эта проблема преследует «колясочников» и в быту (именно поэтому они нуждаются в пандусах и специально оборудованных туалетах и душевых кабинах), представьте себе, как трудно решать ее в самолете!

Но что делать, чтобы после перелета такие спортсмены были готовы к бою на фехтовальной дорожке? Ответ лежал на поверхности: надо освободить кишечник до полета! Для решения этой проблемы слабительные средства и кружки Эсмарха (клизмы) не помогут — такие способы освобождения кишечника, во-первых, приводят к дегидратации организма (обезвоживанию), а во-вторых, способствуют снижению и без того плохой перистальтики кишечника. Поэтому надо было «включить» плохо работающие мышцы тазового дна, брюшного пресса и мышцы поясничного отдела.

Чтобы этого добиться, мне пришлось создать специальный жилет для таза и поясничного отдела позвоночника, и с помощью четырех стоек МТБ (или двух двойных МТБ) нам удалось активизировать эти мышечные группы, которые у «колясочников» практически не работают. Упражнение назвали «черепаха». Оставалось только подключить диафрагмальное дыхание, и вперед!

Эффект был потрясающим! За время одной тренировки ребята стали посещать туалет по 2—3 раза! Теперь оставалось только выполнить эту программу до полета, и смело в самолет! Но и это еще не все. Хочу сказать, что ребята-паралимпийцы живут своей жизнью: у них есть и любовь, и семьи, и дети. Но не у всех. Одна девушка жила со своим парнем семейной жизнью восемь лет, но детей у них не получалось. Дело было в том, что девушка пострадала от врожденной патологии нижних конечностей: ее ноги просто не развились, и передвигаться на них не было возможности. Но если не работают ноги, то плохо или явно недостаточно работают и мышцы промежности, и мышцы малого таза (урогенитальная и тазовая диафрагмы). В связи с этим перистальтика яичников снижена, яйцеклетка не может добраться до сперматозоида, и зачатия не происходит. Но когда наша героиня прошла через «черепаху», то что бы вы думали? Спустя девять месяцев она родила полноценного здорового малыша! Вот что такое застой в нижней части тела: он останавливает многие жизненно важные процессы. Кстати, этот прием мы стали использовать в кинезитерапии при лечении запоров, опущении органов, простатите, миоме матки и даже при некоторых болях в пояснично-крестцовом отделе позвоночника.

После чемпионата фехтовальщиков на коляске я сделал и еще одно важное открытие. Елена Борисовна объяснила мне технику фехтования, и когда я понял, как должны работать руки и кисти фехтовальщиков, появились новые упражнения для их общей физической подготовки. В результате и медалей стало значительно больше. Вот вам и роль врача в спорте! К сожалению, денег на эту работу Паралимпийский комитет России не выделяет (разве что на массажиста), поэтому тренеры ходят с протянутой рукой. А жаль…

В каждом виде паралимпийских дисциплин есть своя специфика, и врач или специалист по ОФП должен ее понимать и подстраивать под нее организм спортсмена. Но главное, что эти «неходячие» (они называют себя именно так, а не «колясочниками») очень дисциплинированы и выполняют все рекомендации, которые дают им специалисты, чего трудно добиться от обычных «ходячих» людей. Работать с паралимпийцами одно удовольствие, и я считаю, что на телевидении необходимо создать передачу про таких людей и проводить ее на постоянной основе. Жизнь познается в сравнении!

Глава 3

МЕДИЦИНСКАЯ РЕАБИЛИТАЦИЯ: НОВАЯ ОТРАСЛЬ ЗНАНИЙ ИЛИ СЛУЧАЙНЫЙ НАБОР ИЗ РАЗЛИЧНЫХ МЕТОДИК?

Я никогда не забуду рекомендацию своего хирурга, который сумел собрать в единое целое мое разрушенное во многих местах тело (у меня были компрессионные переломы позвоночника в поясничном отделе, разрушенные тазобедренный и голеностопный суставы, многочисленные переломы конечностей, ребер, не говоря уже о тяжелой черепно-мозговой травме с последующим погружением в двухнедельную кому).

Выходя из госпиталя, я задал своему хирургу вопрос:

— Что мне делать дальше?

Хирург мне честно сказал:

— Походи на костылях года два-три, а там само зарастет…

Других советов он, хирург, дать не смог.

Я всегда говорю, что после выхода из хирургического отделения вопросом восстановления трудоспособности пациента должен заниматься специалист по медицинской реабилитации в специализированном отделении. Поэтому хирург не должен давать советов по действиям на реабилитационный период — он должен отвечать только за свою работу. Но, как показывает жизнь, хирурги советуют, как вести себя дальше, ничего не понимая в этом. Без обид…

Я проходил на костылях 27 лет, но в итоге мне удалось вернуть себе полноценную трудоспособность, поэтому я считаю, что могу давать рекомендации по реабилитации. На настоящий момент я, помимо звания доктора медицинских наук, являюсь преподавателем кафедры медицинской реабилитации Российского университета дружбы народов (г. Москва), руковожу реабилитацией паралимпийцев сборной Российской Федерации по фехтованию на колясках, а также отделением медицинской реабилитации в возглавляемых мной медицинских центрах.

Мне принадлежат патенты в области медицинской реабилитации после эндопротезирования крупных суставов и сколиоза. Мной написаны методические работы по реабилитации после компрессионных переломов позвоночника, после операции на позвоночнике и после черепно-мозговой травмы. Я создал лечебно-реабилитационный тренажер МТБ и его аналоги, без которого заниматься истинной медицинской реабилитацией практически невозможно, так как основным смыслом этого тренажера является активное участие самого больного в своем восстановлении. В отличие от дорогостоящих тренажеров, в которых движущей силой опорно-двигательного аппарата пациента является электричество (локоматы, экзоскелеты, двигающие конечностями без подключения силы воли, и т. п.), тренажер МТБ заставляет работать самого пациента, а реабилитолог создает ему программу и руководит.

В свое время естественные методы лечения и оздоровления — гидротерапия, бальнеотерапия, лечебная гимнастика и прочие, активно использовались в лечении большинства хронических заболеваний. Во всяком случае, так было в Европе в XIX веке. Но позже они как-то незаметно были выдавлены из медицинской практики агрессивной фармакологией, которая постаралась и старается до настоящего времени заменить физиологические процессы, происходящие в организме человека, процессами химическими. В результате вместо естественных методов лечения (санаторно-курортных) стали использоваться искусственно-изоляционные (лечение в больницах).

Конечно, никто не оспаривает необходимость больниц для лечения острых и неотложных состояний под контролем профессиональных врачей и современных методов лечения — и фармакологических, и физиотерапевтических, и тем более хирургических. Но огромное количество койко-мест привело к новой эпидемии — ятрогении, то есть болезням, порожденным врачами. В настоящее время такие болезни встречаются у 30% пациентов и составляют 10% госпитальной смертности.

Благодаря научно-техническому прогрессу возможности современной медицины стали практически безграничными и оказали огромное влияние на общественное здоровье. Но есть много «но».

Современная медицина, впитав в себя достижения фундаментальных наук (биологии, физики, химии, электроники, информатики и прочих), создала новые подходы в профилактике, диагностике и лечении различных заболеваний, но при этом как-то упустила законы саморегуляции организма и его естественные методы оздоровления, подменив природу химией. Конечно, в медицине есть огромные достижения, и современные методы профилактики не позволяют умереть естественной смертью раньше срока. Медицина научилась продлевать жизнь смертельно больному человеку, но в то же время, как уже отмечалось в этой книге, растут целые города пенсионеров, не способных к самообслуживанию.

Если человек не видит свое жизнеобеспечение без таблетки, то он, по сути, инвалид… Конечно, по возможности нужно спасать жизнь и продлевать ее, никто не спорит! Но после выхода из кризиса, связанного с потерей здоровья, каждому пациенту необходима медицинская реабилитация, которая должна использовать естественные формы оздоровления, а не применять таблетку по каждому поводу и не запрещать пациенту двигаться.

Современная (мне хочется сказать, ортодоксальная) медицина, к сожалению, приучила человека к мысли о том, что его организм несовершенен и нуждается в постоянной лекарственной коррекции. Пульмонолог пытается лечить хронический бронхит и пневмонию без понимания и использования лечебной роли функции собственной дыхательной мускулатуры пациента. В результате появляются примерно такие отзывы пациентов: «После двухнедельного лечения из носа поплыли слизи, после 6 часов вечера состояние ухудшилось, в груди все хрипело, сипело, одышка, сухой кашель. После лечения я опять вышла на работу, но через полгода пришлось уволиться. Теперь я каждый месяц на больничном, и дальше работать не было сил». Или такие: «Живу, как мышь в норе, особенно в осенне-зимний сезон, боюсь выйти из дома».

Ортопед пытается сформировать осанку ребенку с помощью корсетов, выключая функцию мышц спины, выдерживающих до 8 тонн. Гинекологи и урологи лечат болезни застоя в тазовых органах (воспаление придатков, миому матки, простатит, аденому простаты) без привлечения лечебной функции глубоких мышц таза и мышц промежности, отвечающих за крово-лимфообращение в тазовых органах. Невропатолог лечит головные боли, не понимая лечебной функции мышц пояса верхних конечностей в кровоснабжении мозга этого «пояса». Кардиолог лечит ИБС, не зная про внутриорганное периферическое сердце, к которому относятся мышцы пояса нижних конечностей.

Хирурги и реабилитологи не понимают репаративную и регенеративную роль глубоких мышц, поэтому после травм и операций запрещают любые нагрузки (а тем более через боль) и подменяют реабилитационные силовые упражнения на ЛФК и пассивные (по отношению к больному) тренажеры, способствуя тем самым атрофии глубоких мышц и ухудшению качества своих собственных действий.

Терапевт лечит воспаление теплом, не понимая дренажной функции мышц и лечебной функции холода. Гастроэнтеролог лечит дискинезии и запоры диетами, выключая роль мышц брюшного пресса и тазовой диафрагмы. Проктолог не понимает диафрагмального дыхания и мускулатуры сфинктеров прямой кишки, поэтому вырезает куски этой кишки (исключением являются раковые опухоли, когда подобная операция бывает действительно необходима). Косметолог заменяет косметическую антицеллюлитную функцию крупных мышечных групп кремами и массажами, хотя я не отрицаю их косметический эффект. Иммунологи не понимают закаливающих процедур и терморегуляцию организма и заменяют эти функции на иммунопротективные таблетки (иммуномодуляторы).

> **После выхода из кризиса, связанного с потерей здоровья, каждому пациенту необходима медицинская реабилитация, которая должна использовать естественные формы оздоровления, а не применять таблетку по каждому поводу и не запрещать пациенту двигаться.**

В санаторно-курортном лечении исключены силовые тренажеры, закаливание воздухом и хождение босиком — используются только кабинетные процедуры, и это в санатории, где основным лечебным фактором должен являться климат!

В реабилитации мысль врача тоже ушла в сторону от правильного подхода. Врачи забыли, что правильное движение — это:

а) техника самого движения

б) диафрагмальное дыхание при выполнении движения

в) сочетание с другими движениями

г) учет сопутствующих заболеваний.

В результате появилась замена естественного движения на роботизированное: нажал кнопку — поднялась рука или нога, надел на неходячего «скафандр» из ортезов — он пошел, снял — и тот снова упал. Откуда появилась такая тенденция в реабилитации? Да от того же научно-технического прогресса: от бизнеса в медицине, от физиков и математиков, но не от биологов и физиологов.

Мысль врача должна идти не только в сторону научно-технического прогресса, но и к природе, окружающей человека, который и сам является ее естественной частицей. В своей книге «Код здоровья» я уже писал о роли стихий (воздух, вода, земля, огонь, эфир) в оздоровлении и даже лечении человека, имеющего несколько форм болезней. Не хочу повторяться, но без использования этих стихий добиться выздоровления невозможно! Воздух — это дыхание, вода — это питание организма, земля — это костно-мышечная система, огонь — это солнечная энергия, эфир — это эмоции, вернее, управление ими: позитив вместо негатива.

Существовать в квартире и быть «сидящим» можно, но выйти на улицу после долгой изнурительной болезни и вздохнуть полной грудью, выпрямив спину, уже не получится. Поэтому мы будем говорить о естественных формах оздоровления и реабилитации, а таблетку при этом можно держать в кармане — многих это успокаивает.

> **Воздух — это дыхание, вода — это питание организма, земля — это костно-мышечная система, огонь — это солнечная энергия, эфир — это эмоции, вернее, управление ими: позитив вместо негатива. Без использования этих стихий добиться выздоровления невозможно!**

Глава 4
ВЫЖИВАНИЕ ПОСЛЕ ОПЕРАЦИИ

> «От тюрьмы и от суммы не зарекайся»
>
> *Русская пословица*

Я бы добавил: от болезни и травмы тоже. Нам редко рассказывают о тех людях, кто выжил или восстановился после травмы или болезни, особенно по телевизору. Тем не менее чудеса выздоровления и возвращения в полноценную жизнь случаются.

Я хочу вспомнить известного в свое время кардиохирурга Николая Амосова, который к 64 годам перенес две операции на сердце (как говорится, набрал отрицательной энергии от своих больных). Он, со слов экспертов, уже нуждался в очередной операции, но, взвесив все «за» и «против», понял, что такой подход к здоровью ведет в тупик. В результате он переосмыслил свою позицию кардиолога и радикально изменил форму своего существования, перейдя от лекарственных препаратов к активному движению.

Амосов создал систему 1000 движений, которая заключается в том, чтобы ежедневно выполнять 1000 разных движений — не упражнений, которых было порядка 15, а именно движений! То есть 100 раз поднять руки, 100 раз наклониться и так далее. Кроме этого он ежедневно пробегал до 15 км трусцой с легкими гантелями в руках. В результате он прожил без «необходимой» операции еще около 30 лет. Жаль, что он тогда не знал правил современной кинезитерапии, их тогда не было. Прожил бы еще…

Его наблюдения оказались интересными. Когда он начинал бегать, к нему присоединилось еще 15—20 человек, которые периодически менялись, а примерно через 10 лет осталось всего четверо из тех, кто начинал бегать вместе с ним. По этому поводу я вспоминаю письмо своего пациента из таджикского села, в котором он написал, что на такой подвиг самовосстановления, то есть на умение перетерпеть болезни, способны всего пять человек из ста. Неизвестно, конечно, откуда он взял такую статистику, но ему самому 79 лет, и он сумел выкарабкаться из болезни, поэтому я ему верю.

Вот его письмо. Привожу его без сокращений, только с незначительными правками грамматики.

Из письма: «За три приема назначили 200 уколов и 750 таблеток…»

Салом! Сергей Михайлович, мне 79 лет, я бывший водитель с сорокапятилетним непрерывным стажем. У меня после 30 лет вес достиг 124 кг, и постепенно я стал малоподвижным, но продолжал работать. У меня каждый год сокращалась ширина шага и, наконец, достигла 10 см, как у черепахи. С таким мучением я достиг 73 лет. Однажды стопа правой ноги резко и неожиданно стала сгибаться, после трех-четырех дней колено стало выбрасываться (видимо, было варусное искривление стопы, то есть О-образное кнаружи. — *С.М.Б.*), потом возникла боль в пояснице, и я на ходу упал и не мог подняться.

Обратился к врачам. Они за три приема назначили 200 уколов и около 750 таблеток. После всего «етово» (по-другому не назовешь такую помощь — именно «етово». — *С.М.Б.*) никаких результатов не было. Чтобы я их больше не мучил, мне посоветовали только лежать на постели. Постепенно пройдет. И с этим связь между мной и врачами оборвалась, можно сказать, навсегда (приблизительно в 75 лет. — *С.М.Б.*). И слава богу! Мне попалась одна ваша книга под названием «Здоровые сосуды, или Зачем человеку мышцы», которую я стал читать. Листая эту книгу, клянусь, я себя видел словно на экране. Может быть, я ее сто раз читал и каждый раз находил новые пророческие советы. Они были:

1. Верить в себя.

2. Использовать запас сил.

3. Не бояться боли после упражнений.

4. Из ста человек только пятеро могут терпеть до конца.

5. Надо идти только вперед, назад пути нет.

Результат. Я победил следующие болезни, которые имел в организме. Теперь у меня:

1. Сердце, как у зверя (красиво. — *С.М.Б.*).

2. Давление было 180 на 100, стало 125 на 85.

3. Зрение — нитка в игле с первой попытки.

4. Слух, хоть кто-то шепчет.

5. Голова такая светлая, что ума хватит на все.

6. И речь как у Левитана.

7. Аппетит замечательный.

Теперь о теле. Ширина шага 1 м 20 см — хожу свободно, тело ровное, как штык, руки поднимают ведро воды, выливая на голову.

Извините, много наболтал. Теперь то, что я вам желаю лично. Дай бог вам долгого крепкого здоровья в жизни и никогда не болейте. Пусть будет ваше место на самом замечательном месте в раю. Чтобы ваше кресло изготовили из якутских алмазов, украсили памирскими жемчужинами и золотом. И носили вас на руках, и ухаживали сто райских сказочных красавиц.

Я был бы рад, если бы знал, что вы получили это письмо.

Адрес: Таджикская Республика, бывшая Ленинабадская область, город Пенджикент, с/с Рудаки, с. Шашка, А. Ашур.

РЕАБИЛИТАЦИЯ ПОСЛЕ РЕАНИМАЦИИ

Но вернемся к началу главы. Предположим, что человек потерял здоровье (в данном случае причина не имеет значения) и попал в больницу, а затем в реанимацию. В этом случае все зависит от врачей, так как в реанимации человек находится «между небом и землей». Мне, например, повезло. Я выжил и попал в палату. Там капельница, утка, судно — все, как и положено в первые дни полной нетрудоспособности.

Я был в таком состоянии несколько раз — по-моему, четыре. Но «понравился» мне четвертый «заезд». Это было в США, где мне заменили тазобедренный сустав на эндопротез.

Тогда я уже был врачом. К тому времени я уже разработал методы современной кинезитерапии и понял необходимость эндопротезирования тазобедренного сустава. К операции я был физически готов и шел на нее с радостью. Мои надежды оправдались прежде всего потому, что я знал порядок своих действий до операции и после нее. Между этими двумя промежутками времени стоял хирург, и послеоперационная реабилитация разделилась условно на три этапа: а) кроватную б) палатную и в) профессиональную (в специализированном центре).

Расскажу отдельно о каждом из этих этапов.

1 день — гимнастика в постели

а) Ходьба и подтягивание лежа.

Как только я открыл глаза после наркоза, мне сразу понравился тренажер на кровати. Почему-то я редко встречаю его в наших российских госпиталях. Это перекладина, укрепленная стойками за спинки кровати. Больной может поднять руки и, взявшись за эту перекладину, поднять свое тело, то есть подтянуться. Я видел подобный тренажер в книгах первых кинезитерапевтов.

Если подтянуться на такой перекладине несколько раз за день, то и голова работает, и пролежней нет. Кроме того, к этой перекладине был прикреплен блок с колесиками (видимо, из детского конструктора) с перекинутой через него обычной бельевой веревкой, а на конце троса манжета для фиксации бедра или голени.

Зацепив ногу за манжету, можно с помощью рук сгибать и разгибать ногу в колене. Такая своеобразная «ходьба» лежа. Так можно «ходить» весь день, лежа в кровати. Мышцы работают так же, как при ходьбе, только нет осевой нагрузки. Это также является профилактикой тромбозов в нижних конечностях и контрактур в суставах. Такой примитивный МТБ, но действенный на этот случай.

Во всяком случае, уже на следующий день мне разрешили сесть на кровати, спустив ноги. А сколько человек умирает после операции от тромбоза, не пользуясь подобным приспособлением на больничной койке?!

Но пользоваться этим простым кроватным тренажером тоже нужно правильно. Мне показали только само движение, остальное я додумал сам. Но об этом чуть позже.

б) Дыхательная гимнастика в постели

Но первое, что надо делать после операции, это начать расправлять бронхиальное дерево, то есть дышать. К счастью, это, как правило, делается в любой больнице: надувание шаров. Есть и другие дыхательные приспособления. Но главная задача этого упражнения — профилактика пневмонии и улучшение мозгового кровообращения.

Желательно, чтобы в палате был свежий воздух. В США в моей палате работал кондиционер — это было лето. Когда больной дышит, простудиться невозможно, хотя необходимо следить за тем, чтобы белье было сухим.

На самом деле это упражнение достаточно тяжелое. Сил и энергии нет, но надо себя заставлять и выполнять его хотя бы один раз в час по пять минут.

> **Послеоперационная реабилитация условно делится на три этапа:**
> а) кроватная,
> б) палатная,
> в) профессиональная (в специализированном центре).

в) Объем нагрузки

Надо понимать, что после большой потери крови, которой сопровождается любая операция, и лекарственного наркоза набрасываться на эти упражнения (дыхательная гимнастика, подтягивание и «ходьба» лежа) не надо. Но какой объем нагрузки считается допустимым?

Начинайте делать эти упражнения по пять повторений и постепенно, через каждый час, увеличивайте количество на одно-пять повторений. Я дошел примерно до 100 повторений (ходьба, подтягивание) уже к концу дня, после чего «падал» от изнеможения и спал. Естественно, после операции на головном мозге, сердце и внутренних органах, после которых больной на палатном режиме находится более трех суток, а также людям физически ослабленным такой прогресс в объеме движений не обязателен, но делать эти упражнения по 5—10 повторений каждый час все-таки желательно.

Итак, привожу вам мои правила для проведения кроватной реабилитации.

1. С целью предотвращения повышения внутричерепного и внутригрудного давления (чего так боятся врачи даже при лечебной гимнастике) каждое подтягивание тела или ноги, а также любые другие упражнения выполняются на выдохе, подобном тому, что делаешь при надувании шарика. Я обозначаю его выдохом «Хаа» при силовой фазе движения (в момент подтягивания или поднимания). В таком случае сосудам головного мозга и сердца ничего не грозит, но эффект бывает замечательный.

> **Тело постоянно нуждается в движении, поэтому при регулярном выполнении движений выздоровление резко ускоряется. Чем активнее движение, тем ближе нужный результат! Неиспользование скелетной мускулатуры ухудшает состояние всех органов и систем.**

2. Необходимо помнить, что сердечная мышца (миокард) только выбрасывает кровь в аорту. Возвращают кровь к сердцу мышцы нижних конечностей

и диафрагмы, а к головному мозгу — мышцы верхних конечностей. Поэтому необходимо создать условия для активизации рук и ног. Но при переломах нижних конечностей, когда ноги прикованы к вытяжке, это сделать сложно. В таком случае необходимо научиться изометрическим упражнениям, то есть мысленному сокращению мышц конечностей, находящихся в иммобилизации (обездвиженных), мысленно представляя бег или ходьбу.

3. Если перекладины над кроватью нет, то можно предложить использовать следующие приспособления:

а) резиновые бинты,

б) резиновые амортизаторы с ручками, которые также можно фиксировать за спинки кровати.

4. Помните, что гемодинамика (кровоток) и лимфодинамика (лимфоток, который отвечает за иммунитет) зависят от содружественной работы мышц конечностей и диафрагмы!

5. В случае плегий (тетра-, геми- или нижней обездвиженности) или полного обездвижения, возникающих после позвоночно-спинномозговой травмы, необходимо создавать движения поочередно во всем теле, и бояться за перегрузку не надо. Единственное отличие — не надо подтягиваться вверх при переломе позвоночника в грудопоясничном отделе. Но тягу руками из-за головы с помощью бинта нужно выполнять обязательно!

Более подробно о позвоночно-спинномозговой травме и операциях на позвоночнике я расскажу позже.

Таким образом, после реанимации в палате используются уже все стихии:

- Воздух — это дыхательные упражнения и проветриваемое помещение.
- Вода — это питьевой режим и обтирание тела влажными, а затем сухими салфетками.
- Земля — это активизация тела на больничной койке с помощью упражнений.
- Огонь заменяют обеззараживающие лампы с ультрафиолетом, которые периодически заносят в палату.
- Эфир — положительный настрой на выздоровление.

> После операции на головном мозге, сердце и внутренних органах, после которых больной на палатном режиме находится более трех суток, а также людям физически ослабленным, желательно делать упражнения хотя бы по 5—10 повторений каждый час.

Почему стихии? Потому что человек — часть природы, и не надо об этом забывать! Тело — не хрустальная ваза: оно постоянно нуждается в движении, при создании которого выздоровление резко ускоряется! И чем активнее движение, тем ближе нужный результат! Неиспользование скелетной мускулатуры ухудшает состояние всех органов и систем.

2 день — ходьба по палате

На второй или третий день больному разрешают вставать. Не забывайте, что нахождение в положении лежа более 24 часов временно отключает вестибулярный аппарат, поэтому при резком вставании возможен обморок. Не страшно! Покрутите кончик носа больному ладонью, и он придет в сознание без всякого нашатыря. Обычно таким пациентам дают ходунки, четыре опоры которых не позволяют упасть.

Ходьба по палате — это второй этап восстановления сознания и движения. Это тоже тренажер, но более активный, хотя задерживаться на этом этапе нежелательно, чем так грешат пожилые люди. Но я говорю о тех, кто стремится к полному восстановлению своей трудоспособности.

3 день — «бег на костылях»

Когда я лежал в армейском госпитале в солдатской палате на восемь человек, нам было весело: кто-то занимался гантелями в кровати, не имея возможности ходить, кто-то занимался эспандерами и так далее. Но я сам как бывший учитель физкультуры, как только встал на костыли, то организовал пробеги на костылях по коридорам госпиталя, по лестницам и по дорожкам госпитального парка (дело было в начале лета). Представляете, какая это была картина: бежит по коридору толпа молодых ребят в больничных пижамах, на костылях, с «вертолетами» (так мы называли гипс на руке), с аппаратами Илизарова на ногах, со свистом и смехом!.. Все посетители шарахались по сторонам, а нам было весело!

Впоследствии я разработал технику пользования костылями, которые я называю временными ручными тренажерами и которых почему-то стесняются взрослые люди с больными суставами. Костыли (я люблю «канадки») назначаются для физической реабилитации временно, и они просто необходимы и для снятия нагрузки с позвоночника и суставов, и для лучшей подготовки к операции. На них можно ходить долго и быстро, а это необходимо для поддержания функции сердечно-сосудистой системы (ССС).

МЕДИЦИНСКАЯ РЕАБИЛИТАЦИЯ — ЧТО ЭТО?

Медицинская реабилитация — это не только упражнения и связанные с ними нагрузки на тело. Это новая отрасль знаний, включающая в себя все, что связано с экологией человека и адаптацией больного человека к существованию в дружбе с внешней средой, то есть со «стихиями», о которых я писал в предыдущей главе. Это программа активных действий пациента, составленная с учетом его сопутствующих заболеваний и сопровождающаяся текущим врачебным контролем за здоровьем больного. Поэтому такая реабилитация и называется медицинской.

Многие спортсмены, закончившие спортивные и педагогические университеты, в которых уже появились кафедры по адаптивной реабилитации, к сожалению, практически ничего не понимают в вопросах функциональной анатомии и физиологии — такие предметы там не изучаются. И там тем более не изучают особенности течения внутренних заболеваний (патогенез). Несмотря на это, после получения дипломов они смело берутся за реабилитацию больных после различных травм и операций, не задумываясь о последствиях своего вмешательства: большинство из них думает, что упражнения сами по себе лечат. Это заблуждение: лечит только правильное движение (см. выше). И их рекомендации часто бывают даже опасными, если рядом нет врача — специалиста по медицинской реабилитации.

Недостаток знаний общей биологии делает таких псевдоспециалистов безголовыми (от слов «сорви голова») и бесшабашными (от слова «авось»). Когда они берутся за физическую реабилитацию, не понимая работы миокарда и сосудов головного мозга при нагрузке, не понимая смысла слов «опущение органов», «остеопороз», «аневризма», «тромбоз» и так далее, то становятся просто опасными для больного человека, желающего улучшить свою физическую форму, но не отдающего себе в полной мере отчет о состоянии своего детренированного и запущенного организма.

> **Медицинская реабилитация — это программа активных действий пациента, составленная с учетом его сопутствующих заболеваний и сопровождающаяся текущим врачебным контролем за здоровьем больного.**

Физкультура без культуры

Меня всегда умиляют телепередачи, в которых показывают группу пожилых людей, пришедших за «физкультурой», которые занимаются на различных тренажерах под присмотром инструкторов или реабилитологов, как они себя называют после окончания спортивного вуза. Что будет с этими пожилыми людьми после эфира, завтра или послезавтра? Кто проконтролирует последствия нагрузок, полученных на тренажерах для сердца, пораженного ишемической болезнью? А ведь такая реакция обязательно будет! И эта реакция обусловлена патологической физиологией, которая также не изучается в спортивных и педагогических вузах!

Наверное, больные люди не идут в обычные тренажерные залы еще и потому, что есть другая категория специалистов, которые запрещают им использовать тренажеры, так как видят в них опасную для здоровья нагрузку. Эта категория специалистов — врачи! То есть это специалисты, которые правильное движение, правильное дыхание и правильную нагрузку заменяют таблеткой! Но не надо их за это ругать — так их учили в медицинских вузах. А пациентам надо думать и размышлять.

Эти две категории специалистов объединяет одно слово, а скорее термин, который каждая из сторон понимает по-своему, и этот термин — физкультура! Но понятие «физкультура» значительно шире, чем представление, которое принято ассоциировать с учителем физкультуры в школе, у которого в одной руке мячик, в другой — свисток!

Этот термин означает — физическая культура, то есть культура ухода за своим телом и за своим здоровьем в течение всей жизни.

Многие считают, что для занятий физкультурой врач не нужен: зачем врач, если занимающиеся не жалуются на здоровье? Бывшие спортсмены, которые стали реабилитологами, заменили термин «физкультура» понятием «фитнес», а заодно добавили туда же различные оздоровительные методики, полезные для здоровых, но опасные (во всяком случае, большинство из них) для больных. А врачи физкультуру, то есть физическую культуру, подменили термином ЛФК, что значит «лечебная физкультура»: и не спорт, и не культура движения, и не культура тела.

Между фитнесом и ЛФК есть огромная разница. В первом случае (фитнес) подход такой: давай, работай, создавай мышечный корсет, а там разберемся! Во втором случае (ЛФК) применяется иной принцип: никаких серьезных нагрузок, максимум — ногу вверх, руку вниз, до боли и без пота!

В итоге мы получаем для реабилитации суррогат из каких-то упражнений, тренажеров на электрической тяге, которые делают движения за человека, созданных инженерами-конструкторами, а не врачами. Но нужда в настоящей медицинской реабилитации есть, и об этом говорит Приложение 1.

> Физическая культура — это культура ухода за своим телом и за своим здоровьем в течение всей жизни.

Но я высказываю свою личную точку зрения и не претендую на истину в последней инстанции. С моей позицией можно соглашаться или не соглашаться, но я уверен в том, что больной человек должен глубоко задуматься и проанализировать все, что он делал для своего физического восстановления до чтения этой книги…

Но вернемся к терминам, озвученным ранее.

Глава 5

ТРЕНАЖЕР КАК ИНСТРУМЕНТ МЕДИЦИНСКОЙ РЕАБИЛИТАЦИИ

Обычные врачи (то есть те, которые считают, что лечение — это только выписанные ими таблетки) даже не знают многие термины и понятия, существующие в медицинской реабилитации. И поэтому они отказываются их комментировать и запрещают пациентам даже вникать в эту терминологию. К таким терминам относится, например, физкультура, которую в медицине называют термином «лечебная физкультура» (сокращенно ЛФК). Но на самом деле это физическая культура.

> Тренажер помогает осваивать движение, подбирать нагрузку, а затем восстанавливать силу и эластичность мышц до восстановления здоровья или его совершенствования. Поэтому без нагрузки и без использования тренажеров в реабилитации обойтись невозможно.

Слово «тренажер» обозначает устройство, предназначенное для:

а) создания определенной заданной нагрузки для выполнения поставленной задачи;

б) обеспечения пациенту возможности выполнить саму нагрузку, если при определенном состоянии пациента выполнить ее без этого устройства невозможно.

С помощью тренажера пациент может, например, «бегать», лежа на больничной кровати (как описано выше) или в тренажерном зале, когда ноги не ходят или не могут бегать из-за артрозов суставов. Можно также подтягиваться в кровати, лежа на спине, или в тренажерном зале из положения лежа или сидя.

То есть тренажер помогает осваивать само движение, подбирать нагрузку, а затем восстанавливать силу и эластичность мышц до восстановления здоровья или его совершенствования. Таким образом, без нагрузки и без использования тренажеров в реабилитации обойтись никак нельзя.

ТРЕНАЖЕРНОЕ ОБОРУДОВАНИЕ, ИСПОЛЬЗУЕМОЕ В МЕДИЦИНСКОЙ РЕАБИЛИТАЦИИ И КИНЕЗИТЕРАПИИ

Существующие тренажеры существенно различаются по признаку *свободы допустимого в них движения*. В этой связи условно могут быть выделены три разновидности тренажеров.

Тренажеры узколокального действия имеют императивную конструкцию, задающую совершенно определенный тип тренирующего воздействия, которое, как правило, выполняется одной мышечной группой синергистов или поочередно мышцами-антагонистами и с движением звена, имеющего только одну степень свободы. Такими являются многие тренажеры, предназначенные, например, для работы только конкретно сгибателями предплечья, голени, стопы, приводящими или отводящими бедра, мышцами, скручивающими туловище, и т. п. Такие тренажеры характерны для идеологии бодибилдинга, но они могут быть весьма полезны для корригирующего воздействия, имеющего узкую адресацию.

Тренажеры локального воздействия. В отличие от предыдущего типа устройств данные тренажеры предписывают движения одной определенной координации, но при этом воздействуют не на одну, а на несколько групп мышц и несколько суставов. Соответствующие этому движения обычно характеризуются несколькими степенями свободы. Такими являются, например, все тренажеры, которые задают движения типа подтягиваний руками, разгибаний ног, приседаний с преодолением сопротивления и другие. В этом случае в работу вовлекаются сразу несколько мышечных групп, часто разноименных. Например, подтягивание отягощений руками всегда вовлекает в работу не только сгибатели предплечья, но и разгибатели плеча, мышцы, управляющие движениями лопатки, и т. п.

Тренажеры этого класса могут иметь большее число степеней свободы, чем устройства узколокального действия. Благодаря этому упражнения в известных пределах варьируются, отклоняясь от *базового способа* исполнения по некоторым характеристикам: направлению тяги, ширине хвата и т. п. Это позволяет достигать более полного тренировочного эффекта.

Многофункциональные тренажеры — это устройства типа «комбайнов», которые позволяют тренировать различные группы мышц, применяя для этого тренирующие воздействия в разнообразных рабочих положениях. Для каждого из таких положений (стоя с тягой снизу, сверху и т. п., лежа на животе, спине, боком с тягой руками, рукой, ногой и так далее) существуют свои наиболее характерные *базовые упражнения*, которые в свою очередь могут варьироваться.

Тренажеры различаются также по *способам отягощения*. По этому признаку выделяются два характерных класса тренажерных устройств.

Тренажеры с искусственным отягощением. Это устройства современного типа, конструируемые в расчете на применение *внешней нагрузки*, которая передается через систему блоков на рабочее звено занимающегося. Основное преимущество такого конструктивного решения заключается не столько в сервисе, сколько в возможности просто и *гибко варьировать степень отягощения* от минимума до максимума. Это принципиально важно для гибкого управления процессом лечения и реабилитации, который осуществляется с учетом индивидуальных возможностей и потребностей занимающегося.

Тренажерные устройства (приспособления) с естественным отягощением рассчитаны на отягощение *массой собственного тела (или его звеньев)* занимающегося. Такие устройства просты и обычно представляют собой разного рода опоры и ложементы, которые позволяют принимать и фиксировать рабочее положение. Тренировка с помощью таких устройств достаточно удобна и эффективна, но уступает работе на тренажерах с внешним отягощением, так как не обладает нужными свойствами вариативности. Изменение трудности упражнений в этом случае возможно только за счет некоторых технических приемов, связанных со способами работы, изменениями рабочей позы, а также за счет применения традиционных отягощений: наборных гантелей, штанги и т. п.

Кинематика движений на тренажерах с разным числом степеней свободы принципиально различается. В связи с этим выделяются две категории тренажеров.

Императивные тренажеры имеют строгую «геометрию» движений и работают по определенному лекалу, заданному жесткой конструкцией тренажера, как правило, ограничивая число возможных степеней свободы с целью аналитического выделения двигательной функции. Это важно во всех случаях, когда требуется избирательное воздействие на двигательный аппарат занимающегося. Например, в тренажерах, предназначенных только для бицепса, икроножной мышцы и т. п., занимающийся получает в движении только одну степень свободы, которая определяется вращением вокруг фиксированной оси одного сустава.

Тренажеры со свободной «геометрией» дают возможность более или менее широко варьировать кинематику рабочего движения и выполнять в ходе одного упражнения или серии упражнений тяги в различных направлениях относительно осей суставов. К ним относятся прежде всего все тренажеры, передающие нагрузку от блоков через свободный трос, благодаря чему можно самым разным образом менять не только рабочие положения и позиции относительно снаряда, но и направление тяги в пределах одного рабочего положения. Это весьма важное свойство тренажера позволяет не только выполнять самые разные упражнения, но и веерно менять нагрузку на мышечный аппарат в рамках одного и того же упражнения, по необходимости включая или выключая из работы различные мышечные синергии, смешанные режимы, пучки мышц и так далее. Работа такого рода дает возможность наиболее гармоничного и естественного развития мышечного аппарата, хотя и требует совершенно четкого плана и задания техники движений.

В процессе выполнения силовых движений на тренажерных устройствах действие внешней силы, отягощающей двигательное действие, в значительных пределах меняется в зависимости от фазы движения. Это обязательно должно учитываться при планировании и проведении лечебного сеанса. Внешняя сила, действующая на сустав, имеет две важные в данном случае составляющие — тангенциальную и нормальную. Первая из них связана с вращательным движением в суставе и обусловливает то внешнее сопротивление, которое занимающийся должен преодолеть напряжением мышц. Величина этого сопротивления определяется моментом внешней силы, и она все время меняется по ходу вращения сустава вокруг его оси. Вторая составляющая действует вдоль сустава. Она также пофазно меняется как по величине, так и по направлению. Наиболее характерным в этом отношении является пример тренажеров, передающих нагрузку на звено занимающегося непосредственно с троса.

Так, в самом начале тяги плечо, на которое действует внешняя сила, может быть минимальным или (если тяга направлена вдоль сустава) равным нулю, поэтому внешняя сила полностью тратится на растяжение сустава вдоль его длины и передается на суставную сумку, но при этом практически не оказывает сопротивления мышечному сокращению. В дальнейшем, по мере вращения звена, плечо внешней силы нарастает, и требуются все большие усилия, чтобы преодолеть ее напряжением мышц. Максимум этих усилий приходится на момент, когда вращающееся звено расположено перпендикулярно к направлению внешней тяги (линии троса). Сразу после этого вращающее воздействие меняется на сжимающее, а степень необходимого сопротивления внешней тяге убывает. В тренажерах, где внешнее сопротивление передается на сустав непосредственно с рычага снаряда, оно может оставаться постоянным в течение всего рабочего хода. Все эти моменты и особенности их проявления в работе на тренажерах могут быть важными в конкретных случаях подбора упражнений для занимающегося.

> **Работа на тренажерах обеспечивает возможность наиболее гармоничного и естественного развития мышечного аппарата, но требует четкого плана тренировок и задания правильной техники движений.**

Выбор биохимических режимов реабилитации

При упражнениях на тренажерах работа носит возвратно-циклический, реверсивный характер. При этом мышечный аппарат действует в переменных режимах. В биомеханике различают по меньшей мере 6 характерных режимов работы скелетной мускулатуры, которые зависят от соотношения степени возбуждения и изменения рабочей длины мышцы. Это:

● **останавливающий режим** (напряженная мышца натягивается),

● **преодолевающий режим** (напряженная мышца сокращается),

● **баллистический режим** (сокращаясь, мышца расслабляется),

● **уступающий режим** (расслабленная мышца натягивается),

● **активный изометрический, удерживающий режим** (мышца напрягается, не меняя длины),

● **пассивный изометрический режим** (мышца сокращена и полностью расслаблена).

При возвратно-циклической работе (без промежуточных пауз) первые четыре режима (в указанной последовательности) образуют естественный цикл, при котором мышцы работают наилучшим образом — с предварительным натяжением. В этом случае (при прочих равных условиях) наибольшие усилия могут быть развиты при останавливающем режиме работы, несколько меньшие — при изометрическом, наименьшие — при преодолевающем режиме. Соответственно изменяется и трудность действия (в том числе субъективная).

При работе на силовых тренажерах инерционное движение звеньев тела, характерное для баллистического и быстрого уступающего режимов, практически отсутствует. По этой причине возвратные движения на тренажерах связаны в основном с использованием *преодолевающего* и медленного *уступающего* режимов работы. При достаточно быстром чередовании таких движений без выраженной паузы на границе фаз и без снижения тонуса работающих мышц возникает режим *рекуперации*, когда мышца, напряженно натянутая в конце разгибания звена, бывает заряжена потенциальной энергией упругой деформации и может ее вернуть при преодолевающей работе.

Натяжение напряженной мышцы связано и с очень мощным физиологическим механизмом *миотатического рефлекса*, благодаря которому натянутая мышца лучше работает. Поэтому чем больше амплитуда рабочего движения, тем лучше работает мышечный аппарат. Кроме того, действует и важная закономерность «сила — скорость», в соответствии с которой наибольшие усилия развиваются *быстро* натянутой мышцей. В любом случае следует учитывать, что сильное расслабление мышц в конце уступающей фазы резко затрудняет последующее их включение в преодолевающую работу и делает упражнение физически более трудным.

Рабочий тонус мышц в известной степени зависит также от *шейного тонического рефлекса* (ШТР). При координационно сложных движениях ШТР существенно влияет на управление произвольным действием. Во время работы на тренажерах он должен учитываться как фактор техники упражнений. Общий принцип в данном случае сводится к следующему правилу: наклон головы вперед на грудь (сгибание) стимулирует сгибатели плеча и туловища, наклон назад (к спине) содействует аналогичным разгибателям.

Составление лечебной программы должно быть ориентировано на состояние миофасциального аппарата, анализируемого не в покое, как это общепринято, а в динамике, в движении. При оценке состояния мышц, связок и сухожилий основным принципом является положение о том, что антропометрическое соответствие длины мышечных волокон, данное человеку от природы, должно поддерживаться в течение всей жизни. Критерии этих соответствий отмечаются специалистом по кинезитерапии в амбулаторной карте пациента при поступлении его в клинику.

Изменение длины мышц в сторону укорочения является одним из основных критериев нездоровья опорно-двигательного аппарата даже при отсутствии болей. В то же время немаловажен тонус мышц, так как зачастую имеет место гипермобильность суставов при низкой мышечной константе (гипотрофия) с наличием острого болевого синдрома. При первичном тестировании миофасциальной системы (мышцы и связки) и анализе подвижности суставов пациент часто отмечает, что он и раньше никогда не доставал руками пальцев ног, не сгибая коленей. И хотя данное антропометрическое несоответствие длины мышцы и кости не является нормой, до поры до времени оно у таких пациентов клинически не проявлялось. Дистрофические явления, приводящие к ишемии мышц и связок, накапливаются годами и начинают проявляться уже после того, когда резервы организма исчерпаны, а эксплуатация миофасциальной системы все еще продолжается.

На таком этапе магниторезонансная томограмма, как правило, выявляет уже глубокие дегенеративные изменения костно-хрящевого аппарата (грыжи дисков, артрозы суставов). Исходя из выводов о первопричинном влиянии дистрофических процессов на ход и развитие дегенеративных изменений, я пришел к заключению о необходимости работы с управляемой сознанием мышечной тканью. Но в этом случае врача подстерегают так называемые «подводные камни» пациента: его лень и вера в собственную непогрешимость, страх перед болью, возникающей при любом движении, и его детренированность, не говоря уже о наличии сопутствующих заболеваний. Формула заключается в следующем: среднестатистический больной ленив, труслив и слаб.

> **Формула заключается в следующем: среднестатистический больной ленив, труслив и слаб.**

Но тем не менее почему в качестве лечебного средства, особенно при остром болевом синдроме, выбраны именно тренажеры, а не НПВС, корсеты или операции по замене или фиксации элементов туловища пациента?

Итак:

1. Только с помощью тренажеров можно рекрутировать мышцы детренированному и ослабленному сопутствующими заболеваниями пациенту, «выключив» на время «зону страха», то есть болезненный участок, задействуя другие мышечные области туловища и предотвращая таким образом обездвиженность, пагубно воздействующую на организм и психику заболевшего.

2. Только на тренажерах декомпрессионного и антигравитационного ряда можно рекрутировать больной сустав или зону позвоночника в острой стадии, так как в этом случае создается возможность снятия влияния суставных поверхностей друг на друга.

3. Только на тренажерах можно создать лечебную программу восстановления подвижности суставов и позвоночника с учетом физического состояния мышечной системы заболевшего благодаря тонкой дифференцировке веса отягощения на узколокальных тренажерах императивного ряда.

4. Сам факт выполнения движений в острой стадии является мощнейшим психоэмоциональным

фактором, который помогает пациенту поверить в свои силы и выйти из психосоматической депрессии. Но прежде чем приступить к мышечной терапии, необходимо понять принцип «правильного» движения, который используется в кинезитерапии. Важно знать, что само по себе движение ради движения не лечит. Этому есть много доказательств и из системы ЛФК, и из фитнеса, и от людей, ведущих ЗОЖ.

Глава 6

ПРАВИЛЬНОЕ ДВИЖЕНИЕ, ИЛИ НЮАНСЫ РЕАБИЛИТАЦИИ (КИНЕЗИТЕРАПИИ)

Правильность движения достигается обучением пациента *технике* его выполнения и постановкой правильного *диафрагмального дыхания*, то есть выдоха при максимальном напряжении. Выдох, производимый во время максимального напряжения, способствует релаксации большинства мышечных групп и обеспечивает возможность выполнить само движение, которое часто кажется невыполнимым до тех пор, пока пациент не освоит правил выдоха при максимальной нагрузке.

Уже на первой консультации врач, диагностируя больного, указывает ему на необходимость правильного выдоха при выполнении движений. Пациент видит, что без выдоха это движение (например, наклон вперед) он сделать не может, а после обучения правильному выдоху практически любое движение становится возможным, пусть и не с полной амплитудой.

Понятно, что такую сложную задачу, как постановка техники движения с одновременным обучением дыханию при физических упражнениях, на первом этапе необходимо выполнять только под руководством опытного инструктора, особенно ослабленным пациентам.

> **Правильное движение лечит, неправильное — калечит.**

Описание всех нюансов такой работы выходит за рамки данного издания. Отмечу только, что в процессе этой работы неизбежно возникает целый ряд сложностей психологического порядка. Дело в том, что наши пациенты, как правило, имеют уже достаточно большой стаж жизни со страхом перед болью, возникающей при любом движении мышц, измененных ишемией. К тому же неадекватное запугивание врачебными «страшилками» тоже не добавляет им веры в себя.

Особенно это касается больных с тяжелыми сопутствующими заболеваниями — такими как перенесенный инфаркт миокарда, язва желудка, язва двенадцатиперстной кишки, геморрой, варикозное расширение вен, миома матки, мастопатия, аденома предстательной железы, компрессионный перелом позвоночника и другие. Такие пациенты уже с порога начинают рассказывать о разного рода запретах и ограничениях на нагрузки, на применение сауны, о лечебных свойствах которой большинству врачей просто неизвестно, о страхе перед криовоздействиями и прочих проблемах. Поэтому важно уже на консультации объяснить им, что в кинезитерапии нагрузок как таковых нет, а есть локально и дозированно применяемые физические воздействия, которые восстанавливают тело до нормы в состоянии декомпрессии позвоночника. Когда же пациент восстановит тело до нормы с помощью тренажерной программы, адаптированной именно для него, то он сможет позволить себе и собственно нагрузку, которой является *работа с собственным телом* (игра в футбол, волейбол, борьба, танцы, хозяйственные работы на садовом участке и другие), но уже с применением правил техники безопасности и профилактики, которым обучают специалисты по кинезитерапии. *Правильное движение лечит, неправильное — калечит.* Это и есть основной смысл лечебного движения.

Итак, первое условие правильного движения — обучение выдоху диафрагмой, то есть вниз, в ноги, а не вверх, в голову. Это позволит выполнить первые движения при острой боли в спине.

Второе условие — это подбор нужных для данного этапа веса отягощений на тренажерах и обучение пациента технике выполнения лечебных движений. В данном случае на первый план выходит фигура инструктора-методиста кинезитерапии.

Третьим условием правильного движения является своевременное и рациональное применение естественных физиотерапевтических методов, таких как бальнеотерапевтические процедуры, а также применение кислот и адаптогенов.

МЫШЕЧНАЯ ТКАНЬ ДАЕТ ЗДОРОВЬЕ, ЕЕ АТРОФИЯ — БОЛЕЗНИ

О лечебных факторах холода, бани и питания будем говорить в отдельных главах. Но все эти условия правильного движения должны быть направлены на одну цель — преодоление страха перед движением в период острых болей в спине и детренированности заболевшего. Что касается сопутствующих заболеваний, то здесь уместно было бы вспомнить о *принципах саморегуляции больной системы*. Можно отдельно лечить сердце, печень, простату, желудок и другие органы и даже добиться в этом каких-то паллиативных (то есть временно облегчающих болезненное состояние) результатов, но в то же время нарушить координацию большой системы, которой является весь организм человека. И безусловным лидером в лечебном процессе остается только мышечная ткань. Обращение к ней позволяет охватить всю систему в целом. Например, с помощью блокад можно избавить человека от боли в спине, но восстановить функцию дистрофически измененных тканей пораженного сустава применением блокад невозможно.

В кинезитерапии законы о саморегуляции больной системы помогают понять необходимость учета иерархического подчинения зон, пограничных к источнику боли. Например, восстановить подвижность спины в поясничном отделе можно только в том случае, если параллельно восстанавливается эластичность мышц нижних конечностей и подвижность плечевых суставов. Другими словами, имея больные плечевые суставы и ригидные мышцы бедра, невозможно восстановить подвижность поясничного отдела позвоночника.

В то же время кинезитерапия дает возможность применения этих подсистем (плечевых суставов, мышц бедра), относительно автономных друг от друга, с тем, чтобы, восстановив их отдельно друг от друга, обеспечить координацию деятельности больной системы. В данном случае мы имеем в виду опорно-двигательный аппарат.

Итак, основными принципами составления лечебной программы являются:

1) сохранение (восстановление) антропометрической длины мышц, их структуры и эластичности;

2) правильное движение при правильном дыхании;

3) учет иерархического подчинения зон, пограничных к источнику боли.

О ПРАВИЛЬНЫХ И НЕПРАВИЛЬНЫХ НАГРУЗКАХ

1. Нагрузка, превышающая нормы адаптации и приводящая к «полому» структурного элемента, не является обоснованной и носит патологический характер.

2. Нагрузка, не превышающая нормы адаптации и приводящая к функциональному восстановлению структурных элементов тканей, обоснованна: она

носит физиологический (естественный) характер и отвечает принципу правильного движения, каким является кинезитерапия.

Именно поэтому кинезитерапия строится на основе строго индивидуально подобранных физических воздействий, учитывающих возраст пациента, его конституцию, сопутствующие заболевания и длительность патологического процесса в тканях.

Таким образом, при длительном неучастии мышечных структур в полноценном функционировании сустава возникает дистрофия мягких околосуставных тканей, то есть нарушается питание как мягких, так и хрящевых тканей. Это постепенно приводит к замедлению тока крови и стазу. Если в этот период акцентировать лечение на применении НПВС без участия мышечной клетки, которая стимулируется только по закону «сокращения — расслабления» и в свою очередь доставляет пластические материалы суставу, то такой лечебный процесс (кстати, общепринятый) соответствует принципу «как об стенку горох».

Основными принципами составления лечебной программы являются:

● сохранение (восстановление) антропометрической длины мышц, их структуры и эластичности;

● правильное движение при правильном дыхании;

● учет иерархического подчинения зон, пограничных к источнику боли.

Но практика показывает обратное. С выключением мышечной клетки из этапа регенерации весь процесс реабилитации функций сустава сводится к резкому снижению его функций, ограничению движений, развитию дегенеративных (фиброзно-спаечных) процессов и атрофии мышц указанной зоны тела. Периодические успехи аллопатической медицины при применении НПВС и хондропротекторов связаны не с патогенетическим механизмом лечения, а со случайными факторами, то есть возрастом, конституцией и образом жизни пациента.

Безусловно, полное отрицание современных аллопатических средств, применяющихся в ортопедии и неврологии, бессмысленно. *Но любое аллопатическое лечение без активного включения в процесс мышечной ткани никогда не приведет к восстановлению утраченных функций сустава, так как в этом случае заранее исключается транспортная функция организма, которую воспроизводит только мышечная система.*

Трудность кинезитерапии для пациента заключается прежде всего в том, что пациент не только должен активно работать над самовосстановлением, но и вынужден преодолевать болевую доминанту, возникающую при устранении ригидности миофасциальной ткани.

И тренажеры — специальные и бытовые — помогают освоить необходимые нагрузки по принципу от простой к сложной, от легкой к тяжелой. К сожалению, избыточное применение в реабилитационной практике роботизированных тренажеров часто выключает эти принципы, потому что они, эти роботы, выключают функцию мозга, управляющего телом.

Советский терапевт, академик Василенко В. Х. (1897—1987) красиво сказал: «Функция без структуры немыслима, структура же без функции бессмысленна». Жизнь — это движение, и этим движением управляет ЦНС через мышцы. Структура — это кости, движение — это мышцы. Если мышцы не использовать, то структура (кости) разрушается.

Можно привести еще пример применения стероидных гормонов в практике бодибилдинга, где они используются в качестве способа стимулирования разрастания мышечной массы. В этом случае из-за узконаправленного действия гормонов не развивается костная ткань. Диспропорция между гипертрофированной мышцей и неизмененной костью может привести к ее перелому и развитию побочных явлений в организме (инфаркту миокарда, отрыву сухожилий и прочим проблемам).

Трудность кинезитерапии для пациента заключается прежде всего в том, что пациент не только должен активно работать над самовосстановлением, но и вынужден преодолевать болевую доминанту, возникающую при устранении ригидности миофасциальной ткани. Поэтому кинезитерапию дополняют *криотерапией*, применяют антиоксиданты с целью быстрейшего выведения из организма лактата (молочной кислоты), аминокислоты и различные бальнеотерапевтические процедуры. Единственное, что в каждом конкретном случае влияет на скорость выздоровления, — это понимание пациентом требований врача и неукоснительное их соблюдение.

> **Жизнь — это движение, и этим движением управляет ЦНС через мышцы. Структура — это кости, движение — это мышцы. Если мышцы не использовать, то структура (кости) разрушается.**

Так почему же врачи обычной практики запрещают нагрузки (например, более двух с половиной килограммов) больным людям и не понимают того, что собственный вес больного человека чаще всего и бывает для него самой страшной нагрузкой, так как этот самый вес тела пациенту приходится передвигать в пространстве комнаты и на улице, где больному человеку необходимо преодолевать не только ступеньки и гравитацию земли, но и удерживать тело в пространстве при ходьбе, например, по скользкой дороге, если даже он пользуется тросточкой (а это, кстати, тоже тренажер) и боится упасть. И этот страх вполне обоснован, ведь затем надо будет встать, а если человек полностью детренирован да еще имеет избыточный вес?..

Кстати, вы никогда не обращали внимание на то, что больные люди, даже небольшие по размеру старушки, оказываются очень тяжелыми, когда их приходится поднимать? При этом относительно здоровых старичков, поскользнувшихся на улице, поднять легко. Это объясняется тем, что мышечные люди имеют много кислорода, так как у них хороший кровоток. А больные люди — это кости и жир (даже если жира мало), у них мало кислорода, поэтому они не летают — они падают на землю, как камень, и земля «тянет их к себе».

> **Любое аллопатическое лечение без активного включения в процесс мышечной ткани никогда не приведет к восстановлению утраченных функций сустава, так как в этом случае заранее исключается транспортная функция организма, которую воспроизводит только мышечная система.**

Глава 7

ПОЧЕМУ ВРАЧИ БОЛЕЮТ?

Вам никогда не приходилось перекладывать мертвое тело из кровати в гроб? Могу сказать, что оно весит как бетонная плита… Я не иронизирую, а подмечаю. Я часто по-хорошему завидую патологоанатомам, которые работают по сути в стерильном от больной энергии пространстве. Мертвые люди в отличие от тяжелобольных не излучают никакой энергии и не жалуются на свое здоровье. Это надо понимать и врачам, и медперсоналу, ухаживающему за больными (извините, живыми). Если не выполнять правил психосоматической самозащиты от энергии больных людей, то сами врачи ближе к пенсии тоже становятся больными и часто имеют те же заболевания, от которых избавляли своих пациентов. Я сам своевременно это понял, работая в поликлинике: я пришел туда здоровым человеком, а через две недели у меня, как говорится, «потекло из всех щелей». При этом я всего лишь выслушивал жалобы и писал рецепты (это была медицинская практика).

Но не надо бояться энергии больных людей — надо регулярно вырабатывать в себе энергию здоровья, которая в общем и целом помогает пациенту выбраться из больницы, а самому врачу сохранить свое здоровье.

> **Для восстановления здоровья необходимо создать для больного нормальные условия жизни: солнце, воздух и вода, а также «стихии» внутренней среды — нормальная скорость кровотока и лимфотока, нормальная перистальтика внутренних органов и нормальная мышечная система.**

Приведу пример из собственных наблюдений. В начале 1990-х годов я работал кинезитерапевтом (я уже тогда реанимировал эту специальность в России, хотя меня потом еще долго спрашивали врачи, что это такое — кинезитерапия) в Центре эндохирургии и литотрипсии у Бронштейна А. С. Я ему очень благодарен, так как Александр Семенович помог мне в создании первого в России отделения кинезитерапии и реабилитации, отрядив метров восемьдесят дорогой площади клиники и купив мне для работы великолепные итальянские тренажеры. Это уникальный человек. Впоследствии я стал его личным врачом и ожидал работы с «его телом», сидя в его кабинете и наблюдая за его работой как руководителя клиники. Это мастер слова, человек с потрясающим чувством юмора, обладающий великолепной памятью: он знал имена родственников всех своих достаточно известных пациентов, не говоря уже о друзьях и коллегах.

Но сейчас речь не о нем. Ко мне в зал регулярно заходил заниматься на тренажерах Олег Эммануилович Луцевич — красивый и сильный человек, профессор, доктор медицинских наук, но главное — выдающийся эндохирург. Он спас от смерти двух моих близких людей. Я счастлив иметь такого друга. У Олега Эммануиловича, естественно, всегда были ассистенты — молодые врачи, на 15—20 лет моложе его. Но они ко мне не приходили — не считали нужным, потому что большинство врачей достаточно высокомерно относится к физическим упражнениям.

Так вот, спустя год после открытия моего тренажерного отделения ко мне на занятия пришли и эти ребята. Я спросил их:

— А что так? Почему вдруг вы захотели позаниматься?

Они ответили просто:

— Понимаешь, Сергей Михайлович, операции у нас часто длятся по нескольку часов, руки на весу. У Олега, который старше нас, руки не падают и не дрожат, а у нас уже через каждые 15—20 минут они буквально отваливаются. Мы поразмышляли и поняли: пора за шефом, к тренажерам.

Олег Луцевич и сейчас в прекрасной физической форме. При наших редких встречах он жалеет, что я ушел из клиники, а после этого и зал тренажерный тоже… ушел.

Так все же почему врачи запрещают больным какие-либо нагрузки более двух с половиной килограммов? Ответ прост: они приспосабливают, адаптируют человека к болезни, манипулируя лекарственными препаратами и запретами, так как с точки зрения ученых-патологов (патология — это учение о болезнях) «болезнь — это одна из форм жизни, поэтому противопоставление болезни здоровью неоправданно» (В. В. Серов). То есть котлеты отдельно (здоровье), мухи отдельно (болезнь). Врачи не изучают здоровье — они изучают болезнь и разбирают симптомы болезни, то есть этапы разрушения организма, которое пытаются замедлить с помощью таблеток.

> **Не надо бояться энергии больных людей — надо регулярно вырабатывать в себе энергию здоровья, которая в общем и целом помогает пациенту выбраться из больницы, а самому врачу сохранить свое здоровье.**

Мне лично нравится другое, более емкое обозначение болезни — как «нарушение нормальной жизни человека условиями его существования в среде» (Остроумов А. А., тоже патолог). Если болезнь рассматривается с этой точки зрения, то для восстановления здоровья необходимо создать для больного нормальные условия жизни. К нормальным условиям жизни относятся факторы внешней среды: солнце, воздух и вода, а также «стихии» внутренней среды: нормальная скорость кровотока и лимфотока, нормальная перистальтика внутренних органов и нормальная мышечная система, которая составляет 60—68% всего тела. Но только обращаясь к мышцам, можно восстановить скорость и объем нормального кровотока (заболевания сердечно-сосудистой и цереброваскулярной систем), синхронную работу внутренних органов, подвижность позвоночника и суставов, а вместе со всем этим — нормальный метаболизм (обмен веществ) и… здоровье, наконец! К сожалению, это уже другая медицина, которая изучает не болезнь и не механизм ее развития (хотя это необходимо понимать каждому врачу), а вопросы восстановления здоровья после болезни, в нашем случае — после травм и операций.

Карл Рокитанский (философ и патологоанатом, годы жизни 1804—1878) считал, что «здоровая и больная жизнь — это два направления жизненного процесса». Я согласен. И идут они в разные стороны.

Врачи запрещают физические нагрузки больным людям? Потому что не верят в возможности организма человека и не исследуют его ресурсы. Большинство больных хотят болеть и жалуются на любой физический дискомфорт, поэтому у таких пациентов и возникают кровоизлияния, опущения, спазмы и стоны при выполнении каких-либо бытовых нагрузок, в том числе при вставании с унитаза. Ведь многие при этом даже умирают — да-да! Вставая с унитаза!

И среди людей в возрасте после 50 лет таких уже большинство, и ими заполнены больницы и поликлиники. Для врачей главное — чтобы пациент не умер в больнице, поэтому они оберегают больного от всего и активно используют коляски, каталки и просто лежание. Привыкли, знаете ли. Но врачей можно понять, тем более что они не знают, как восстановить здоровье — они не изучали этих законов и правил здоровья. Чтобы просто поддержать жизнедеятельность организма, существует сколько угодно средств и аппаратов, которыми насыщены все больницы. Но в больнице витает и живет энергия болезни, которая на определенном этапе становится сильнее энергии здоровья, и если от нее не защищаться (а защита — это усиление скорости и объема кровотока за счет работы мышц), то и сам врач рано или поздно пристроится на больничную койку. Хотя в своей клинике это обойдется ему бесплатно.

Глава 8
О ДЫХАНИИ
И ДЫХАТЕЛЬНЫХ МЫШЦАХ

Сколько человек может прожить без воздуха? 1—3 минуты. А без воды? 3—4 дня, без еды — месяца два. Вопрос: что важнее? Ответ: воздух. То есть дыхание. Поэтому давайте подробно поговорим о дыхании и его роли в медицинской реабилитации.

Частично я уже объяснил смысл дыхательных упражнений сразу после реанимации. Но когда больной пришел или его привезли в реабилитационный зал, наполненный тренажерами, задача усложняется: с одной стороны — надо к ним как-то подступиться, с другой стороны — страшно: слабые сосуды, слабое сердце, слабые мышцы. Да и вообще пациент давно не занимался гимнастикой. Но надо! Чтобы заработали мышцы, надо включить кровоток, доставляющий им энергию — кислород. И чтобы сосуды при этом не «лопнули», внутричерепное давление не поднялось и не возникли какие-либо спазмы, необходимо предпринять какие-то меры. И в этом случае на помощь приходит диафрагма — основная дыхательная мышца, своего рода купол, отделяющий грудную и брюшную полости.

Детренированность подавляющего числа больных с бронхолегочной патологией обструктивного и рестриктивного типов приводит к быстрому утомлению дыхательных мышц, которое проявляется в неспособности развивать и поддерживать требуемое усилие для обеспечения адекватной вентиляции легких. Я не рассматриваю функциональные нарушения мышечной ткани, которые возникают при тяжелых поражениях проводящих путей спинного мозга, мотонейронов и нервов, иннервирующих респираторную мускулатуру (это может быть, например, миастения при осложнениях в период после оперативных вмешательств с использованием пролонгированных миорелаксантов: полиомиелите, ботулизме, мышечной дистрофии Дюшена) и при воспалительных процессах в дыхательной мускулатуре, пороках развития и опухолях. Именно общая детренированность или мышечная недостаточность чаще всего приводят к развитию альвеолярной гиповентиляции обструктивного и рестриктивного типов.

Неумение включать диафрагму с помощью мышц брюшного пресса, межреберных мышц или их неиспользование приводит к различным нарушениям частоты и глубины дыхания, длительности фаз вдоха и выдоха, дискоординации экскурсии верхних и нижних отделов грудной клетки и нарушению нормального осуществления дыхательного акта. Поэтому я рассматриваю не нарушение функции дыхательных мышц, а их недостаточное использование, сочетающееся, как правило, с общей мышечной недостаточностью (гипотрофией), которая, в свою очередь, приводит параллельно с дыхательными расстройствами к нарушению опорно-двигательных функций, а также гемодинамических, метаболических, выделительных, защитных и других.

Создание условий для восстановления функции «мышечного насоса» для скелетной мускулатуры, то есть выполнение определенных упражнений на специальных реабилитационных тренажерах, может восстановить функции организма, утраченные в связи с мышечной недостаточностью, в том числе и хронические нарушения системы внешнего дыхания. Но даже простые дыхательные упражнения (например, форсированные вдохи и выдохи) пациент с хронической дыхательной недостаточностью выполнить порой не способен. И в таком случае на помощь дыхательной мускулатуре (основной и вспомогательной) должна прийти скелетная мускулатура при условии адекватной дозировки физических усилий, но на первом этапе реабилитации этого возможно добиться только на специальных тренажерах.

Грудная клетка (torax) является частью скелета туловища. Она представляет собой костный каркас, защищающий находящиеся внутри ее важнейшие органы: сердце, легкие и другие органы, и принимает непосредственное участие в акте дыхания. Грудная клетка состоит из _грудного отдела позвоночного столба и двенадцати пар ребер и грудины_, которые связаны между собой в целостное образование.

По форме грудная клетка бывает _конической, цилиндрической и плоской_. Увеличение жизненной емкости легких находится в прямой зависимости от подвижности ребер и диафрагмы. На форму грудной клетки и на ее подвижность, экскурсию, сильнейшее воздействие оказывают физические упражнения, особенно такие упражнения, которые требуют интенсивного дыхания и кислородного обмена. Увеличение экскурсии грудной клетки и трансформация ее формы под воздействием физических упражнений благоприятно влияют не только на респираторные возможности человека, но и на состояние внутренних органов, в том числе на их функцию.

Как известно, дыхание включает в себя две фазы — *вдоха* и *выдоха*.

Наполнение легких воздухом при вдохе происходит благодаря расширению внутреннего пространства грудной клетки. Увеличение объема грудной клетки связано с двумя факторами: сокращением диафрагмы, происходящим с уплощением ее купола, и движением ребер за счет работы мышечного аппарата, описанного выше.

Диафрагма представляет собой тонкую мышцу, расположенную между грудной и брюшной полостями. Поэтому она именуется также **грудобрюшной преградой**. По форме диафрагма представляет собой купол, обращенный своей вершиной кверху, в сторону грудной полости. В средней части диафрагма имеет сухожильный центр, окруженный мышечной периферией. К центру диафрагмы прилежит сердце — оно располагается на куполе диафрагмы в седловидном углублении.

Различают три части диафрагмы: *грудинную*, *реберную* и *поясничную*. Диафрагма имеет отверстия, через которые проходят такие важные образования, как аорта и грудной проток, пищеводное отверстие, блуждающие нервы и вены, в том числе нижняя полая вена.

Движения диафрагмы происходят благодаря сокращению ее мышечной части. При этом сухожильный центр опускается, и купол диафрагмы уплощается, а при расслаблении мышечных волокон центр и купол диафрагмы поднимаются непроизвольно за счет разности внутрибрюшного и внутригрудного давления.

Функция диафрагмы заключается прежде всего в участии в акте дыхания. Ее сокращение увеличивает вертикальный размер грудной полости, создавая тем самым частичное разрежение в легких и обеспечивая приток в них атмосферного воздуха извне. По отношению к мышцам брюшного пресса диафрагма может играть роль как синергиста, так и антагониста. При необходимости создания внутрибрюшного давления она работает совместно с мышцами брюшного пресса. При обычной дыхательной экскурсии она действует как антагонист. При этом опускание купола диафрагмы возможно только при условии достаточного расслабления мышц брюшного пресса. Этим объясняется некоторое естественное выпячивание живота на вдохе при брюшном типе дыхания. При грудном типе дыхания, особенно у физически хорошо развитых людей, когда грудная клетка расширяется за счет движения ребер, выпячивание живота уменьшается. Существуют также разнообразные смешанные формы дыхания.

Положение диафрагмы варьируется в зависимости от возраста, дыхательной экскурсии и положения тела. У детей диафрагма расположена несколько выше, чем у взрослых. Она также смещается кверху в положении лежа по сравнению с положением стоя. У людей тучного телосложения, особенно у пожилых, органы брюшной полости смещаются книзу как за счет своей тяжести (так называемый птоз), так и из-за ослабления тонуса мышц брюшного пресса. Это приводит к более сильному выпячиванию передней стенки живота. Положение брюшной стенки, а вместе с этим и размер брюшной полости, изменяются также в зависимости от движений тела.

> **Недостаточное использование групп мышц, которые включают в работу диафрагму, как правило, сочетается с общей мышечной недостаточностью (гипотрофией), которая параллельно с дыхательными расстройствами приводит также к нарушению опорно-двигательных, гемодинамических, метаболических, выделительных, защитных и других функций организма.**

При сгибании туловища грудная клетка и таз сближаются, размер брюшной полости уменьшается, и происходит некоторое выпячивание брюшной стенки. Во время разгибания, напротив, особенно при физических упражнениях (например, в положении «мост»), вертикальный размер брюшной полости увеличивается, брюшная стенка западает, и диафрагма занимает более высокое положение.

Характер работы диафрагмы меняется в зависимости от интенсивности дыхания.

Спокойное дыхание осуществляется в основном за счет сокращения и расслабления диафрагмы. При этом изменяется прежде всего вертикальный размер грудной клетки, мышцы живота находятся в расслабленном состоянии и легко поддаются смещению под действием тяжести внутренних органов. В этом случае межреберные мышцы действуют незначительно.

Напряженное дыхание требует значительного расширения грудной клетки в ее нижних отделах, а в среднем отделе — увеличения ее переднезаднего размера. При этом также уменьшается кривизна позвоночного столба, и его форма приближается к прямой. Расширение грудной клетки достигается благодаря согласованному движению ребер передними концами кверху, а их средними отделами — в стороны.

> **Именно диафрагмальное дыхание, о котором обычные врачи ничего не знают, является основной профилактикой осложнений.**

Основными мышцами, участвующими в акте вдоха, кроме диафрагмы принято также считать *межреберные мышцы*.

Дополнительные мышцы, занятые в исполнении вдоха, это *мышцы, поднимающие ребра, верхняя* и *нижняя задние зубчатые мышцы, квадратная мышца поясницы, подвздошно-реберная мышца, лестнич-*

ные мышцы, поднимающие первое и второе ребра. Во время активных двигательных действий в процесс дыхания вовлекаются также мышцы верхних конечностей и плечевого пояса: *трапециевидная, ромбовидная, малая и большая грудные мышцы, мышца, поднимающая лопатку.* При сокращении эти мышцы поднимают ПВК и тем самым способствуют расширению грудной клетки и акту вдоха.

При активном выполнении *выдоха* в работу вовлекаются следующие основные мышцы: *прямая мышца живота* (она содействует вращению ребер), *поперечная мышца живота* (она сближает реберные дуги), *косые мышцы живота, подреберные мышцы, поперечная мышца груди, нижняя задняя зубчатая мышца.* Сокращение этих мышц содействует максимальному сокращению размеров и объема грудной клетки. Оно сопровождается расслаблением мышц, дополнительно участвующих в акте вдоха (см. выше). Как уже отмечалось, можно различать дыхание *брюшное,* или диафрагмальное, и *грудное,* или реберное. Как правило, эти два типа дыхания в той или иной степени совмещаются. Есть мнение, что существуют дифференцированные мужской и женский типы дыхания, но оно остается спорным. Главные различия в биомеханике дыхания связаны не с полом, а со степенью развития функции дыхания.

На характер дыхания оказывают воздействие и некоторые сопутствующие причины: степень наполнения (переполнения) желудочно-кишечного тракта, некоторые заболевания брюшной полости, беременность, затянутый пояс и хронические заболевания органов внешнего дыхания.

Техника дыхания определяется как причинами, отмеченными выше, так и навыками, значение которых наиболее существенно для лиц, занимающихся интенсивными физическими упражнениями, спортом, а также для лиц, имеющих отклонения в кардиореспираторной системе. При исполнении напряженных физических упражнений рекомендуется не прекращать ритмически организованного дыхания, пользуясь возможностями *изолированного сокращения мышц*, участвующих в акте дыхания. Лишь в отдельных ситуациях, экстремальных по степени напряжения или расположения тела, дыхание оказывается затруднительным. Например, дыхание возможно, желательно, но физически трудно в аномальных положениях тела типа гимнастических положений вниз головой, в которых диафрагма, сокращаясь, должна приподнимать внутренности брюшной полости.

> **Характер работы диафрагмы меняется в зависимости от интенсивности дыхания.**

В положениях, удерживаемых силой, а также замедленных движениях типа жима, сопровождающихся предельными мышечными напряжениями, вынужденно возникают задержки дыхания с резким повышением внутрибрюшного давления («*натуживанием*»), закрыванием голосовой щели и образованием *кислородного долга*. Несмотря на то что такие фазы действий являются обычными для некоторых спортивных упражнений, они никоим образом не должны поощряться при исполнении физических упражнений оздоровительной направленности: во время выполнения оздоровительной гимнастики дыхание должно все время носить регулярный, ритмически организованный характер, несмотря на возможные пофазные изменения мышечного напряжения и (или) положения тела. При этом необходимо пользоваться возможностями как диафрагмального, так и реберного дыхания. Считается, что первое из них можно регулироваться более тонко за счет поставленной техники.

Благодаря хорошей технике дыхания даже люди с узкой грудной клеткой могут дышать более эффективно, чем люди с широкой грудной клеткой, но плохой дыхательной техникой. Дыхание должно совершенствоваться не только за счет приобретения навыка рационального, в том числе изолированного, управления мышцами, занятыми (с учетом рабочего положения тела или координации конкретного движения) в дыхании, но и путем использования подходящих телодвижений. Как уже отмечалось, экскурсии грудной клетки содействуют движения верхних конечностей. Например, движение рук вверх расширяет грудную клетку и активизирует мышцы, способствующие вдоху.

Таким образом, при лечении хронических заболеваний системы внешнего дыхания у больных с мышечной недостаточностью, не утративших эластических свойств легких, в реабилитационном режиме необходимо следовать правилам *кинезитерапии*, которые позволяют включать дополнительные дыхательные мышцы. Для этой цели используются прежде всего тренажеры узколокального действия, благодаря которым можно выполнять упражнения, помогающие дыхательной мускулатуре даже пациентам с плохой мышечной координацией и полной детренированностью.

Помимо того, что эти тренажеры имеют только одну степень свободы, то есть движения с четко заданной траекторией, они также имеют возможность тонкой дифференцировки отягощений, что позволяет выполнить эти движения любому пациенту независимо от возраста и наличия сопутствующих заболеваний. Так как при выполнении любого движения на тренажерах выдоху, то есть форсированному включению дыхательных мышц, помогает скелетная мускулатура и больному, по сути, ничего не остается, кроме как выдохнуть при выполнении данного движения, нужно только подобрать адекватную программу включения скелетной мускулатуры. Это задача кинезитерапевта.

Если заниматься по строго индивидуальной программе, то от занятия к занятию увеличивается объем движений, глубина выдоха и расслабления после напряжения, связанного с движением. Вся программа выполняется под строгим контролем врача. Конечной задачей является возможность самостоятельного включения дыхательной мускулатуры без дополнительных приборов.

Программа реабилитации включает элементы крио- и бальнеотерапии, которые позволяют восстанавливать иммунитет и улучшать метаболизм тканей.

Больным даже с запущенной степенью дыхательных расстройств хочется жить, и жить физически и психически полноценно, без использования ингаляторов. К этому результату — повышению качества жизни — может привести только совместная длительная и тщательная работа пульмонолога и кинезитерапевта.

Неумение включать диафрагму с помощью мышц брюшного пресса, межреберных мышц или их неиспользование приводит к различным нарушениям частоты и глубины дыхания, длительности фаз вдоха и выдоха, дискоординации экскурсии верхних и нижних отделов грудной клетки и нарушению нормального осуществления дыхательного акта. В то же время создание условий для восстановления функции «мышечного насоса», которую выполняет скелетная мускулатура, то есть выполнение определенных упражнений на специальных реабилитационных тренажерах, может восстановить функции организма, утраченные в связи с мышечной недостаточностью, в том числе и хронические нарушения системы внешнего дыхания.

> **Благодаря хорошей технике дыхания даже люди с узкой грудной клеткой могут дышать более эффективно, чем люди с широкой грудной клеткой, но плохой дыхательной техникой.**

При дыхательных расстройствах на помощь дыхательной мускулатуре должна прийти скелетная мускулатура при условиях адекватной дозировки физических усилий, но на первом этапе реабилитации это возможно получить только на специальных тренажерах.

Соответственно, при вдохе грудная клетка расширяется, и диафрагма опускается, усиливая давление на внутренние органы и замедляя отток крови из сосудов мозга, а на выдохе диафрагма поднимается, снижая внутричерепное, внутригрудное и внутрибрюшное давление. Поэтому каждое мышечное сокращение (усилие) надо сопровождать выдохом «ха-а». Этому вас уже учили на больничной койке после реанимации. Если не учили — надо осваивать. Именно выдох при нагрузке (усилии) снижает и внутричерепное давление (сосуды мозга), и внутригрудное давление (сердца), и внутрибрюшное давление (птозы, опущения) и препятствует остановке крови в сосудах при сокращении мышц, а диафрагма и межреберные мышцы грудной клетки выполняют функцию помпы, усиливающей и качающей кровь от конечностей к сердцу и мозгу и обратно. При этом ни в коем случае нельзя напрягать мимическую мускулатуру, то есть не гримасничать. Все внимание должно быть направлено на работающие конечности (руки, ноги) и выдох, который должен быть длинным, сопровождать все движение, а начинаться даже раньше самого движения.

Вес отягощения в начальном периоде не имеет значения — главное, чтобы мышцы сокращались в такт выдоху. Упражнения подбирает специалист, а если пациент не может держать рукоятку тренажера, то конечности фиксируются к ней специальными манжетами. Именно диафрагмальное дыхание, о котором обычные врачи ничего не знают, является основной профилактикой осложнений. Выполнение упражнений без диафрагмального дыхания, с неправильной нагрузкой и неправильной техникой самого движения, не считая само усилие по переносу тяжести, приводит к развитию осложнений. Но самой опасной нагрузкой для человека является его собственный вес тела, не управляемый мышцами и дыханием.

Глава 9
ПИТЬ ИЛИ НЕ ПИТЬ?

• •

Знаете ли вы, что человек почти на 70% состоит из воды, а соленость внеклеточной жидкости примерно соответствует содержанию соли в морской воде? Если учесть, что почти 70% поверхности Земли покрыты водой, то, естественно, рождается ассоциация единства человека и той самой окружающей среды, с которой больной человек и потерял связь.

В теле взрослого человека содержится в среднем 45—55 л воды! Кровь состоит из воды на 83%, мышцы — на 75%, мозг — на 85%, сердце — на 75%, кости — на 22%, легкие на 86%, почки — на 83%, глаза — на 95%. Подавляющее большинство самых распространенных заболеваний, таких как бронхиальная астма, ишемическая болезнь сердца, сахарный диабет второго типа, гипертоническая болезнь, аллергии, остеохондрозы, артрозы, склероз сосудов и деменция, связано, как ни парадоксально, с дегидратацией (обезвоживанием) тканей. Но больной человек свое обезвоживание не чувствует в полной мере: для него сигналом для потребления воды является только сухость во рту, поэтому он утоляет жажду разными жид-

110

костями, произведенными промышленным способом. Многие из этих напитков, такие как кофе, газированные напитки, пиво и крепкие спиртные напитки, оказывают на организм обезвоживающее действие, то есть выводят из организма воды больше, чем ее содержится в стакане такого напитка или банке пива.

Есть формула, согласно которой человек ежедневно должен выпивать 30 мл воды на каждый килограмм веса (это примерно 10—12 стаканов воды в день) и пить самую чистую воду, которую только можно найти.

> **Без использования техники управляемого дыхания и правильного водно-питьевого режима оздоровительные упражнения будут малопродуктивны, а иногда и вредны.**

Взрослый человек должен выпивать в день от двух до трех с половиной литров чистой воды. Каждая клетка живого организма содержит питательную жидкость, которая состоит главным образом из воды. Кроме того, каждая клетка «плавает» вместе с другими клетками в «море» соленой внеклеточной жидкости. Внеклеточная жидкость — это, в сущности, солевой раствор. Соль нужна для поддержания нормального осмотического давления, которое обеспечивает доставку в клетки питательных веществ и удаление отходов жизнедеятельности клеток. Соль удерживает воду и тем самым замедляет процесс обезвоживания.

Долгие годы ортодоксальная медицина призывала людей отказываться от соли, так как считала ее причиной повышения артериального давления. Однако отказ от соли может негативно повлиять на наше здоровье. Правильное соотношений соли и воды (одна четвертая чайной ложки соли на 1 л воды) позволяет поддерживать нормальный уровень гидратации. В то же время, если вес вашего тела начинает внезапно расти, это означает, что вы потребляете слишком много соли, поэтому пейте больше воды.

В моей семье принято использовать два вида соли: морскую и гималайскую розовую. Это естественные минеральные соли, которые не вызывают отеков, но способствуют поддержанию минерального обмена в организме. Они помогают балансировать соотношение ионов натрия и калия так, чтобы поддерживать нормальное осмотическое давление. В биохимии этот дуэт называется натриево-калиевым насосом, который позволяет клеткам получать достаточное количество воды и не слипаться, иначе возникают такие негативные явления, как сухая кожа, «сухие» связки, треск в суставах и, наконец, «сухие» слизистые сосудов с последующим развитием склероза.

Содержащуюся в организме воду можно разделить на два вида: внутриклеточную (с содержанием ионов натрия) и внеклеточную (с содержанием ионов калия). Пока в организме обеспечена возможность попадания воды внутрь клеток, она будет регулярно очищать клетки и выводить из них продукты метаболизма (отходы жизнедеятельности). Баланс между этими двумя видами достигается с помощью регулярного приема воды, калия и поваренной соли. Когда воды становится слишком мало для того, чтобы она могла добраться до всех клеток, клетки начинают втягивать в себя внеклеточную воду. Это первая стадия обезвоживания. Кстати, этот процесс является причиной появления отеков: в такой ситуации мозг дает организму команду увеличить концентрацию соли, чтобы удержать как можно больше воды. При дальнейшем уменьшении количества воды организм повышает осмотическое давление, чтобы увеличить поступление воды в клетку. Такое состояние вызывает гипертензию.

Но остается вопрос: как выпивать необходимое количество воды, если пить не хочется? С одной стороны, увеличение приема воды должно происходить медленно. Когда я в свое время понял закон дегидратации, то стал тренировать свою мочеполовую систему к приему достаточного количества воды (именно тренировать!), так как вода является мочегонным средством. Для этого через каждые две недели увеличивал ежедневное потребление воды на полстакана.

Моча, которая выводится из организма, является четким индикатором чистоты органов, а главное — фильтров, к которым относятся печень и почки. В норме моча должна быть светлой и без запаха, хотя некоторые продукты (например, свекла) могут ее подкрашивать.

Я рекомендую утром, до работы и до завтрака, промывать себя зеленым и травяным чаем, желательно с медом, до появления выраженного мочегонного эффекта: если требуется 2—3 захода в санузел, значит, выпил достаточно. Кроме того, чуть позже проявляется и слабительный эффект. Утром желательно выполнить несколько гимнастических упражнений, и только после всех этих процедур и действий можно приступать к завтраку. Вечером рекомендуется повторить эти процедуры (можно без гимнастических упражнений, если выполнить утром «двигательную» программу).

Подскажу еще один способ гидратации организма: душ, сауна, бассейн, то есть бальнеологические способы насыщения организма водой, так как кожа тоже пьет! Лично я использую эти процедуры регулярно после тренажерного зала, так как в это время кожа становится более активной и для дыхания, и для питья.

> **Правильное соотношение соли и воды (одна четвертая чайной ложки соли на 1 л воды) позволяет поддерживать нормальный уровень гидратации.**

Больным людям просто необходимо постоянно протирать кожу влажными салфетками, а сауну или баню посещать по возможности.

Почему я так подробно рассказываю о дыхании и воде? Как показывает реальность, в практической реабилитации использованию этих двух лечебных факторов особого внимания не уделяется, между тем и дыхание (воздух), и питьевой режим (вода) являются естественными средами в любой реабилитации!

Но сразу хочу оговориться (и об этом практически не говорят специалисты по лечебной дыхательной гимнастике и гидротерапии), что без активной мышечной деятельности и бронхи не очистятся полноценно, даже несмотря на дыхательную гимнастику, и клетки тела не очистятся полноценно даже при достаточном приеме воды, если мышцы не будут «качать и откачивать» воду, промывая тело.

Нормального метаболизма (обмена веществ) без активной деятельности третьей естественной среды — опорно-двигательной системы, к которой относятся и мышцы, и связки, и кости, и хрящи — тоже не будет, дыши — не дыши, пей — не пей. Воздух тоже должен двигаться активно, и вода должна активно двигаться по сосудам! Только в таком случае включаются клеточные механизмы питания и очищения.

Итак, прежде чем приступить к практическим рекомендациям по медицинской реабилитации, я подробно объяснил необходимость применения управляемого дыхания и водно-питьевого режима при выполнении упражнений для улучшения транспорта питательных веществ в клетку и из клетки. Без обращения внимания на эти два фактора упражнения будут малопродуктивны, а иногда и вредны!

Глава 10
АЛЬТЕРНАТИВНАЯ МЕДИЦИНА, ИЛИ КАК УЙТИ ОТ ЛЕКАРСТВ

Почему советы и рекомендации, которые я даю в своих книгах, помогают тем людям, кто их читает? На первый взгляд кажется, что полноценно выполнять мои рекомендации по книге сложно, но это только на первый взгляд. На самом деле мои рекомендации носят вполне доступный и практический характер. Я пишу свои книги для пациентов и всех тех, кто хочет улучшить свое здоровье и повысить качество жизни, поэтому даже на самые сложные вопросы о здоровье, которые особенно часто возникают у пациентов в период реабилитации или долечивания после какого-то медицинского вмешательства или выхода из стационара, я стараюсь отвечать доступным языком, понятным каждому человеку, поэтому все сложные медицинские термины и понятия, в которых преобладает латынь, я объясняю простыми словами.

Интерес к альтернативному лечению (лечению без таблеток) у меня проявился еще в детстве. Я помню, что уже в 12 лет я просил родителей выписывать мне журналы, в которых находил простые советы по лечению тех или иных заболеваний нетрадиционными методами. В настоящее время многие из этих советов уже можно, наоборот, отнести к самым традиционным, культура которых уходит в далекие времена. Например, лечебная гимнастика как средство восстановления и реабилитации использовалась уже очень и очень давно. Особенно ярко она представлена в восточных медицинских школах, таких как цигун, йога и многие другие. Я уже писал об этом.

Позже в России и частично в Европе медицинская культура проявила себя в бальнеотерапии (от слов balneum — купание, ванна, и terapia — лечение). Бальнеотерапия — это наука о терапевтическом применении минеральных (лечебных) вод, или иначе — наука о способах наружного и внутреннего применения минеральных вод для лечения хронических болезней. Причем уже в те далекие времена врачи, использующие естественные способы оздоровления, обращали внимание на вредное влияние погрешностей в диете, дурных привычек и обычаев, связанных с излишествами (таких как курение, пьянство), изнеженностью людей (которая приводит к гипотрофии мышц и склонности к ОРЗ), переутомлением и неврастенией. Если эти излишества становились привычкой и продолжались длительное время, они расстраивали организм, снижали его способность к сопротивлению «болезнетворным началам» и повышали склонность к заболеваниям.

В настоящее время наиболее вредными факторами, влияющими на здоровье, являются сидячий образ жизни (долгое сидение за компьютером, в машине или на работе), физическая запущенность и гиподинамия, интоксикация организма избыточным потреблением таблеток, ожирение, плохая экология мегаполисов.

Врачи еще с давних времен понимали, что различные вредные влияния постепенно и незаметно вызывают стойкие болезненные изменения в организме, которые принято называть хроническими болезнями. Но врачи того времени использовали для лечения этих заболеваний в основном естественные методы, к которым относится в том числе и бальнеотерапия, которая применяется в разнообразных условиях. Основным действующим средством в бальнеотерапии является вода, при этом важными лечебными факторами являются как температура воды, так и различные способы ее применения: ванны, души, обмывания, растирания, обертывания и так далее. Эти методы называются гидротерапевтическими.

Я считаю, что одной из самых эффективных для здоровья процедур является сауна-терапия по правилам русской бани.

В XVI—XIX веках и начале XX века к лечебным факторам относили также и смену образа жизни, то есть само «путешествие на воду». Считалось (и считается сейчас), что больному прежде всего необходимо вырваться из привычной (вредной для здоровья) обстановки и деятельности, поэтому вся бальнеотерапия состояла из трех основных частей:

- непосредственно бальнеотерапия, в которой действующим терапевтическим началом является внутреннее и наружное употребление минеральных вод;

* гидротерапия, терапевтическое действие которой основано на использовании общих холодных, теплых и паровых ванн, местных ванн, различных душей, обливаний, растираний, обертываний и прочих способов лечения;
* климатотерапия — терапевтическое воздействие различных климатов на организм человека.

В числе этих трех основных естественных (физиологических) терапевтических методов или способов можно также отметить морские и озерные купания и ванны, иловые и грязевые ванны и некоторые искусственные лечебные ванны, например, хвойные, травяные, песочные, отрубяные, солодовые, электрические (сауна) и другие. Кроме того, в эту группу естественных (физиологических) способов лечения можно отнести лечение сывороткой, кумысом, виноградом. Все это есть у нас в России и даже выделено в отдельную группу санаторно-курортного лечения, но культура этого лечения и пропаганда российских курортов, кроме самых известных, находится на крайне низком уровне. Это мне стало понятно после посещения Института курортологии и физиотерапии на Новом Арбате в Москве, все десять этажей которого нафаршированы сверхдорогой аппаратурой, но при этом практически пустого.

Культура естественного лечения у нас утеряна. Об этом я и пишу в своих книгах, и это интересно знать моим читателям, тем более что большинство естественных методов и способов лечения можно применять самостоятельно. Мои книги рассказывают, что и как нужно делать с учетом сопутствующих заболеваний.

Кроме того, меня всегда интересовали и интересуют различные психотерапевтические методы. Я даже интересовался гипнозом и внушением, но сохранил за собой методы рациональной психотерапии, которые помогают разобраться в алгоритме заболевания и раскрутить практически любую болезнь из области патогенетической (симптоматической), в которой глубоко погрязла вся нынешняя терапия, в область экологическую, то есть в поиски причины заболевания, а не следствия. Обо всем этом я пишу в своих книгах.

> **В настоящее время наиболее вредными факторами, влияющими на здоровье, являются сидячий образ жизни, физическая запущенность, гиподинамия, интоксикация организма избыточным потреблением таблеток, ожирение и плохая экология мегаполисов.**

Я являюсь автором современной кинезитерапии, и с помощью этой новой отрасли медицины мне удалось доказать диагностическую и лечебную функцию мышечной ткани в организме человека. Включение в лечебный и реабилитационный процесс мышечной ткани многократно усиливает воздействие всех вышеперечисленных естественных способов оздоровления организма с наличием различных хронических заболеваний.

Средством современной кинезитерапии являются тренажеры или их аналоги (эспандеры, резиновые амортизаторы) и правильно выполняемые упражнения («правильное движение лечит, неправильное калечит»). С помощью тренажеров можно избавиться не только от одной болезни, но и от целой группы сопутствующих заболеваний. Об этом и написано в первом письме.

Всем пациентам, в любой аудитории я постоянно задаю вопрос:

— Зачем человеку мышцы?

И в 99% случаев я получаю от людей, не читавших мои книги, следующий ответ:

— Как зачем? Чтобы двигаться!

Это правильный ответ, но очень примитивный, если учесть, что практически 60% тела человека состоит из мышечной ткани, которую общепринятая медицина не изучает ни как лечебный фактор (я имею в виду как основной лечебный), ни тем более как диагностический фактор.

Лично я изучаю этот фактор и все другие естественные факторы, которые подходят идеологии кинезитерапии, с самого детства. Мне всегда было это интересно, и это помогло мне выкарабкаться из собственных проблем, связанных с практически полной утратой трудоспособности. Об этом тоже написано в моих книгах. Мои книги помогают людям, и они пишут мне письма. Я хочу познакомить читателей с некоторыми из этих писем и прокомментировать их. В этих письмах читатели смогут найти ответы на свои собственные проблемы, связанные с полной или частичной потерей здоровья.

Глава 11
ПО ВАШИМ ПИСЬМАМ

СИРИНГОМИЕЛИЯ

У меня сирингомиелия. В МКДЦ сказали, что после операции гарантии на выздоровление нет. В поликлинике это неизлечимо! Нет ли безоперационного метода лечения? Например, кинезитерапия?

* * *

Мужчина, 40 лет. Диагноз — рассеянный склероз. Болеет 17 лет. Возможен ли эффект при занятиях кинезитерапией?

* * *

Есть вопросы и по другим подобным заболеваниям, например боковой (латеральный) амиотрофический склероз. Постараюсь изложить свою точку зрения на решение этих проблем.

Для начала необходимо разобраться в особенностях этих заболеваний. Что скрывается за их происхождением? Каковы их причины? Существует ли защита от этих болезней?

Сначала поговорим о сирингомиелии.

Итак, сирингомиелия — syringomyelia (myelos — мозг) — хроническое заболевание, характеризующееся разрастанием глии и ее последующим распадом с образованием полостей по всей длине спинного мозга, чаще всего в шейном отделе.

В структуре нервной ткани можно выделить два типа клеток:

1) нейроны, которые обычно имеют многочисленные длинные отростки;

2) глиальные клетки, которые защищают нейроны и обеспечивают их активность и питание.

Хочу обратить внимание на слово «глия» (греч. glia), которое буквально обозначает клей. Так вот, эти глиальные клетки, которых в 10 раз больше, чем нейронов, располагаются в пространствах между телами нейронов и тем самым окружают тела и отростки нейронов и защищают последние от любых внешних воздействий. Нейроны, в свою очередь, реагируют на любые изменения окружающей среды изменением своих электрических потенциалов, которые существуют между внутренней и наружной поверхностями их мембраны, и передают нервные импульсы на большие расстояния к другим нейронам, мышцам и железам. Это и называется нервной регуляцией, или саморегуляцией, которая является основой жизнеобеспечения организма.

В своей практике я обычно дотошно изучаю способы лечения, которые испытал на себе пациент, страдающий, например, сирингомиелией. Это заболевание относится к группе аутоиммунных, при которых на организм, как на антиген, обрушивается «огонь» собственных иммунных клеток. Когда я начал выяснять причину подобной реакции, то оказалось, что они (пациенты) в детстве, юности или во взрослом возрасте «приняли» в свой организм достаточно много лекарственных средств, заменяющих иммунную систему. Например, при ОРЗ, гриппе и других простудных заболеваниях принимались антибиотики, причем даже не те, которые были необходимы, а те, которые удавалось купить. При болях в спине или суставах использовались нестероидные противовоспалительные средства в неограниченном количестве, да еще в сочетании с аппаратной физиотерапией (например, электрофорезом, действие которого заключается в более глубоком проникновении лекарственных средств).

Но если сама природа позаботилась снабдить организм человека самозащитой — иммунной системой, а он, человек, не доверяет ей и выключает ее, то и реакция со стороны иммунитета следует незамедлительно. В случае с сирингомиелией глия «склеивает» нейроны, мышечные клетки и железистые клетки, по-своему защищая их от агрессивных внешних электрических и химических атак и разрастаясь по всей длине нейронов и их отростков. В связи с этим нейроны теряют свою активность (электрические потенциалы) и перестают распространять свои потенциалы действия (нервные импульсы). В результате происходит расстройство чувствительности, двигательных функций и болевой чувствительности. Далее следует атрофия кожи, подкожной клетчатки и мышц, которая завершается парезами и параличами. Остановить процесс такой «самозащиты» нервной системы от внешних, а затем от внутренних факторов агрессии практически невозможно…

Может быть, все-таки не стоит экспериментировать со своим организмом, отдавая его, ослабевшего от болезни, под различные электрические разряды, импульсы, лазеры и волны, предложенные для лечения хронических заболеваний физиками, а не физиологами? Может быть, лучше доверять своему организму, закалять и укреплять иммунную систему с помощью самой природы, щедро предоставляющей нам, людям, свои возможности — солнце, воздух, воду?

Но мое мнение резко отличается от ортодоксальной, кроватно-капельной медицины — то есть всего того, что для лечения включается в электрическую розетку! Но такие методы «лечения» применять опасно! Я считаю, что все, что химически уничтожает нервно-мышечную регуляцию, якобы уничтожая боли (НПВС, гормональные препараты), необходимо заменить на естественные способы обезболивания, к которым относится желание, воля и сам организм со своими возможностями.

И, наконец, отравляя внутреннюю микрофлору некорректным по каждому поводу использованием антибиотиков, человек уничтожает свой внутренний мир защиты от токсинов. При такой неестественной форме лечения у пациента рано или поздно появляются побочные плоды — сирингомиелия, рассеянный склероз, ревматоидный полиартрит, бронхиальная астма и другие аутоиммунные заболевания, которые возникают в результате игнорирования внутренних ресурсов организма человека. К сожалению, врачей не учат пользоваться этими ресурсами, поэтому болеть опасно!

> **Не стоит экспериментировать со своим организмом, подвергая его воздействиям электрических разрядов, импульсов, лазеров и электромагнитных волн. Нужно доверять своему организму, закалять и укреплять иммунную систему с помощью самой природы, щедро предоставляющей нам свои возможности — солнце, воздух, воду.**

Что делать в таких случаях? Приведу пример из собственной практики.

Васильева Людмила, 30 лет, сирингомиелия, киста спинного мозга (в грудном отделе) с детства (!), нижний парапарез (ноги не работают, — *С.М.Б.*), нарушение функции тазовых органов. В настоящее время является членом сборной РФ по фехтованию на колясках, мастер спорта международного класса. Это жизнерадостная женщина, которая с удовольствием занимается на тренажерах и строит большие планы на жизнь!..

Тянкина Светлана, 25 лет, постинфекционная миелопатия, нижняя спастическая параплегия, левосторонний грудопоясничный сколиоз. Нервно-мышечная дисфункция мочевого пузыря. В настоящее время является членом сборной РФ по фехтованию на колясках, призером различных международных соревнований. Мечтает стать чемпионкой Паралимпийских игр по фехтованию.

ОПУЩЕНИЕ ТАЗОВЫХ ОРГАНОВ — ЧТО ДЕЛАТЬ?

Добрый день, Сергей Михайлович!

Моя мама попросила отправить вам вот такое письмо.

Я прожила жизнь, не имея никакого понятия о правильном отношении к здоровью и полностью доверяя врачам. Естественно, при таком отношении у меня было много проблем, а в 59 лет организм просто посыпался. Кроме гастрита, холецистита, хронического гайморита и расширения вен у меня возник атеросклероз сосудов головного мозга, атеросклероз аорты, остеохондроз грудного отдела позвоночника и грыжа поясничного, а самое неприятное — атрофия мышц тазового дна, выпадение органов.

Мне были поставлены 2 сетчатых протеза.

Ваша книга «Здоровые сосуды, или Зачем человеку мышцы? Головные боли, или Зачем человеку плечи?» стала для меня открытием. Вот уже скоро год как я занимаюсь дома по Вашей методике. Результаты превзошли все ожидания: прошли боли в спине и шум в голове, я перестала задыхаться по ночам, укрепился иммунитет, исчезли отеки в ногах и т. д.

Я занимаюсь каждый день по часу. Конечно, предстоит еще много работы, но я не знаю, как еще ВЫРАЗИТЬ ВАМ СВОЮ БЛАГОДАРНОСТЬ за ту жизнь, что ВЫ подарили мне и многим другим людям.

Молюсь за ВАС, желаю вам дальнейших успехов.

С уважением, Екатерина Анатольевна Скребцова, 62 года, г. Кимры Тверской обл.

От себя добавлю несколько слов.

У меня возникли проблемы с коленом: я не мог полноценно ходить, сильная боль не давала разгибать ногу в колене. Началось это внезапно (мне тогда было 35 лет), никаких травм я до этого не получал. Поставили диагноз артроз коленного сустава.

Прочитав ваши книги, я не стал лечиться таблетками, а стал заниматься дома с эспандерами. Первое время было сложно из-за боли: я не мог даже 10 раз присесть на больной ноге. Занимался, несмотря на боль, а после тренировок обливался холодной водой.

Примерно через три месяца тренировок восстановилась подвижность ноги, боль уменьшилась, и я смог нормально ходить. Примерно через полгода все прошло: нет ни боли, ни ограничений подвижности. Тогда же я стал ходить на тренировки тэквондо, и никаких проблем не возникает. Но если забросить тренировки на неделю, то боль возвращается. Понимаю теперь, что бросать тренировки нельзя, нужно постоянно держать суставы в тонусе.

Я Вам очень благодарен за вашу систему и за ваши книги.

Да благословит Вас Бог во всех ваших начинаниях!

С уважением, Станислав.

Комментарий С.М.Б.:

В письме перечислены заболевания женщины, которые она накопила к 59 годам благодаря слепой вере в лекарства и от которых она постепенно стала избавляться, применяя отдельные методики современной кинезитерапии, часть которых описана в моих книгах «Здоровые сосуды, или Зачем человеку мышцы» и «Головные боли, или Зачем человеку плечи».

Самым неприятным из всех заболеваний, перечисленных в письме (хронический гастрит, холецистит, гайморит, варикозное расширение вен, атеросклероз аорты, остеохондроз позвоночника с грыжами межпозвонковых дисков), конечно, является опущение органов тазового дна (птозы), приведшее к постановке двух сетчатых протезов. Но женщина занимается самостоятельно по часу в день уже год, и результаты поразительные.

Такая проблема преследует также женщин, не подготовивших себя к родам (как готовиться к родам, описано в моей книге «Вся правда о женском здоровье»), в послеродовом периоде и женщин (а зачастую и мужчин) в постклимактерическом периоде. Как мы видим, операция по фиксации органов к брюшной полости или установке сетчатых протезов не принесла нужных результатов, пока Екатерина Анатольевна (героиня письма) не начала применять упражнения, описанные в названных выше книгах. Кто-то может сказать: это понятно, она укрепила мышцы. Но такой ответ слишком прост, если учесть наличие склероза сосудов в головном мозге и аорте. Как быть с ними, если при таких заболеваниях и неврологи, и кардиологи запрещают любые нагрузки? Как быть с остеохондрозом позвоночника и наличием так называемых грыж дисков? То есть если человек ощущает постоянные боли в спине, усиливающиеся при любом движении? Но Екатерина Анатольевна разобралась с такими проблемами, и мои советы ей помогли.

> **Лучше выполнять упражнения, доставляющие удовольствие, чем принимать таблетки, вызывающие новые заболевания.**

Напоминаю, что врачи (специалисты, запрещающие любые нагрузки при опущениях органов и ИБС) не виноваты — просто они не знают о функции диафрагмы, которая действительно оказывает отрицательное действие на органы тазового дна. Диафрагма активизируется при выполнении упражнений, и диафрагмальное дыхание («Хаа») является главным условием безопасности для ослабленных внутренних и тазовых органов. Выдох «Хаа» производится во время всей силовой части движения, даже чуть раньше начала самого движения.

Важно помнить, что выдох «Хаа» совершается во время каждого движения. Главное — не потерять над ним контроль, а перед упражнением подбирать такие резиновые амортизаторы (черный, красный, синий, белый амортизаторы различаются по степени сопротивления растяжению) или эспандеры, которые могут позволить выполнить само движение не менее 20 повторений (можно и больше). Упражнения можно выполнять по 1—3 серии с перерывом 30—60 секунд в зависимости от утомляемости сердечно-сосудистой системы, контроль которой производится по пульсу. Например, измерять пульс (частоту сердечных сокращений — ЧСС), то есть количество ударов в минуту, нужно в области запястья до начала упражнения (например, 74 удара в минуту) и сразу после выполнения упражнения. Пульс не должен превышать следующие цифры: 220 минус возраст плюс 10%. В данном случае он должен быть не больше 160—170 ударов, но при условии снижения в течение 5 минут после нагрузки до 50% (т. е. до 80—90 ударов в минуту).

Конечно, это измерение должно проводиться при выполнении серии упражнений за 15—20 минут (не меньше).

При подобных заболеваниях будут безопасны и полезны следующие упражнения:

1) «спина» (рис. 1а, б)

Рис. 1а

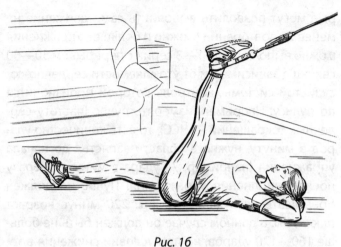

Рис. 1б

Примечание: выдох выполняется при опускании ноги вниз.

2) «удар коленом» (рис. 2а, б)

Рис. 2а

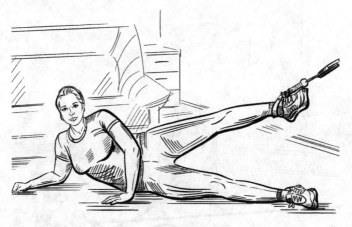

Рис. 2б

3) «приведение бедра сидя» (рис. 3а, б)

Рис. 3а

Рис. 3б

4) «кранчи лежа» (рис. 4а, б)

Рис. 4а

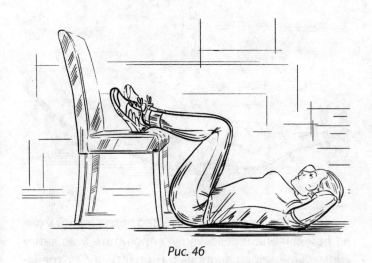

Рис. 4б

5) прессовая тяга (рис. 5а, б)

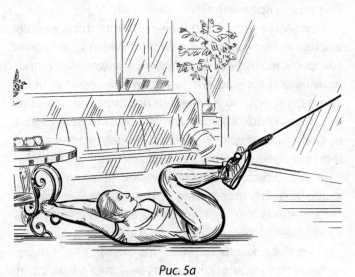

Рис. 5а

Рис. 5б

С каждым месяцем количество упражнений можно прибавлять. Я рекомендую прочитать мою книгу «Домашние уроки здоровья. Гимнастика без тренажеров», в которой есть полное описание всех упражнений и указываются ограничения в применении тех или иных упражнений.

Существенное дополнение. После того как вы достигли желаемого лечебного эффекта (о сроках говорить некорректно: «торопись медленно»), продолжайте и дальше выполнять упражнения хотя бы три раза в неделю в качестве профилактики, в этом нет ничего плохого или неприятного. Мышцы хранят информацию о движении лишь 48 часов, то есть два дня. Но лучше выполнять упражнения, доставляющие удовольствие, чем принимать таблетки, создающие новые заболевания (это явление называется «ятрогения»). Об этом я напомню сыну Екатерины Анатольевны, работающему со своим коленом.

Над следующим письмом я думал долго. Я перечитывал его несколько раз и размышлял о том, стоит ли мне публиковать его целиком или ограничиться публикацией только отдельных частей. Но это письмо настолько острое и настолько полезное (да-да, именно полезное!) для других людей (особенно молодых парней и девушек), что я решил опубликовать его полностью. Не жалейте времени на его прочтение, даже если у вас нет таких проблем. Но это письмо поможет тем, кто попал в схожую ситуацию.

Речь идет о неходячих инвалидах, или «колясочниках». У них очень много проблем как личных, так и социальных. В России неходячим людям очень сложно адаптироваться к социуму, потому что хотя бы какие-то условия для более-менее достойного существования таких людей есть только в крупных городах. И даже в городах им приходится бороться за каждый свой шаг, за размещение в гостиницах и театрах, за возможность использовать городской транспорт и вообще какой-либо транспорт.

> **Практически все известные центры реабилитации обучают инвалидов-колясочников жить в коляске, так как там не знают методов современной кинезитерапии.**

С такими людьми я занимаюсь с тех пор, как у меня появился первый центр, а сейчас в нашем Центре доктора Бубновского на Авиамоторной проводится обучение реабилитологов прежде всего из тех городов России, где есть центры современной кинезитерапии. Не секрет, что практически все известные широкой общественности центры реабилитации обучают инвалидов-колясочников жить в коляске, так как там не знают методов современной кинезитерапии. Мы же ставим задачу более серьезную, но остается одна проблема: после травмы или болезни неходячие люди слишком долго ждут встречи с нами просто потому, что официальные медицинские структуры о нашей программе умалчивают. Может быть, это происходит по той причине, что наши процедуры в 10 раз дешевле? А может быть, есть какая-то зависть, которую иногда вызывают наши результаты? Но есть «сарафанное радио», оно работает достаточно хорошо и многим из таких пациентов помогает сориентироваться.

Это письмо я назвал «Я хожу!». Написала его Алина Моисеева, уже известная вам по этой книге или по соцсетям. Диагноз при поступлении: S-образный сколиоз 3—4-й степени, сосудистая мальформация спинного мозга (вариант ишемического инсульта спинного мозга), двусторонний парез нижних конечностей.

АЛИНА: «Я ХОЖУ!»

Всю жизнь я росла в детском доме и из-за этого всегда была очень активной: занималась спортивными танцами, играла в футбол, каталась на мотоциклах и очень много гуляла.

В 13 лет врачи заметили у меня искривление позвоночника и уже тогда поставили мне вторую сте-

пень сколиоза. Естественно, врачи запретили мне поднимать больше двух килограммов, запретили прыгать и сказали, что я не смогу выносить ребенка.

За проведенное в детском доме время меня никто не лечил. Еще в 13-летнем возрасте пытались одеть на меня корсет, вылепили, сделали, но я всячески отказывалась. Мне было больно и неудобно. А в 15 лет мне предложили сделать операцию на позвоночнике, но предупредили, что шансов встать после операции у меня всего 50 на 50. Я отказалась.

Итак, мне 18 лет, я замужем, беременна и чувствую себя очень хорошо. Я без проблем выносила очень большого малыша. Ребенок родился здоровым во всех смыслах — и по весу, и по состоянию здоровья: 4 кг, 55 см.

Мне делали кесарево сечение, так как степень сколиоза за пять лет стала третьей. Но внешне этого заметно почти не было, я только немного хромала: одна нога короче другой, как сказали мне врачи.

Я продолжала жить активной жизнью и никаких недомоганий не чувствовала. И вот в 2015 году в сентябре месяце я проводила время у своей подруги. В один из дней я сижу на полу на дорожной сумке и вдруг внезапно ощущаю резкий удар в голову, по затылку. Я доползла до кровати, легла на живот. Малейшее движение доставляло мне адскую боль — казалось, что бьют молотками по голове. Я вызвала «Скорую», но они не нашли оснований меня забрать, вкололи мне что-то противовоспалительное и уехали. И так за ночь четыре раза. Я вызывала и умоляла забрать меня в больницу, но все было напрасно, мне только прописали обезболивающее и противовоспалительное.

Я лежала так неделю. Я почти не спала и не могла даже двигаться. Мне было очень страшно: тело было будто не мое, болела каждая клеточка, каждый пальчик. Через неделю мне стало значительно лучше, и я решила уехать в другой город, чтобы начать жить заново и поправить свое здоровье. Еще недели две я колола противовоспалительные и ходила на работу. Ходила я плохо, медленно, все болело, но уже не так сильно. На работе я проводила 14 часов на ногах, и мне было так плохо, что просто невозможно передать. Через месяц я и забыла, что со мной произошла такая беда. Я работала, гуляла, вела активный образ жизни.

Наступил новый, 2016 год. Для меня он начался отлично: я познакомилась с молодым человеком, вернулась в Москву, устроилась на хорошую работу. Жизнь стала налаживаться, я остепенилась, стала больше бывать дома: дом — работа, работа — дом. Но боль вернулась.

Однажды, проснувшись утром, я почувствовала боль около лопатки слева. Пошла спокойно на работу. В течение дня боль из лопатки перешла в левую руку и стала простреливать, будто огнем. Но мне почему-то не было страшно. На работе мне порекомендовали кровать с нефритовыми роликами. Я сделала массаж на этой массажной кровати, но боль только усилилась и стала уже не простреливать, а держаться постоянно. Жгло сильно. Я стала нервничать. Позвонила близкому человеку спросить совета. Он предложил сходить на массаж. Когда я вышла с работы, половину пути я шла еле-еле, очень медленно, потому что каждое движение, каждый шаг вызывали такую боль, что просто невозможно описать: будто отрезают руку. Я прижала ее к телу второй рукой и продолжала идти. А идти к тому же было тяжело, потому что тогда было много снега и сильный гололед на тротуарах. Ноги разъезжались, и от попыток удержаться на ногах и рывков я ощущала чудовищную боль в руке. В итоге слез держать я больше не могла и начала сильно плакать, но продолжала идти.

Когда я пришла к массажисту и он положил меня на кушетку, я орала как резаная. Сначала он нажимал мне на разные точки на спине. Я вся покрылась какими-то красными пятнами. Любое его малейшее прикосновение усиливало боль. Я просила вколоть мне что-то обезболивающее и отпустить. Но массажист, видимо, от большого желания мне помочь начал меня скручивать и щелкать костями в разные стороны, при том что у меня третья степень сколиоза, и это не рекомендуют. Сейчас я это понимаю, но в то время я этого еще не знала.

Короче, тогда я уже была сама не своя. Я умоляла, плакала, кричала. Мне просто хотелось умереть. Мне вкололи диклофенак по моей просьбе. Домой я добралась на такси, но не помню, как я до него дошла. Помню, что захожу в подъезд и в предбаннике начинаю хромать, левая нога, будто пьяная: я наступаю на нее, а она ослабела. Я была просто в шоке. Поднимаюсь на свой этаж, захожу домой, хожу по комнате, *а нога все такая же. Меня охватывает такой ужас, я уже не плачу, я уже вообще не понимаю, реально ли все вокруг или нет.*

Я очень испугалась быть дома одна, потому что мне показалось, что я умираю. Я вышла обратно на улицу и стояла у подъезда, но это продолжалось совсем недолго: я вдруг поняла, что правая нога становится такая же, как левая, ведет себя так же. Со стороны, как мне казалось, я выглядела, мягко говоря, странно, как алкоголичка. Меня сильно шатало, потому что ноги стали мягкими и неустойчивыми.

Я позвонила своему молодому человеку, а он как раз уже подходил к моему подъезду. Он подбежал, взял меня на руки и понес домой. Положил на кровать, и я отключилась: то ли сознание потеряла, то ли уснула, буквально на минуту, как мне показалось, не помню. Но потом мне стало так хорошо — перестало все болеть. Тогда я подумала, что умерла, но не поняла, почему я на диване: неужели это и есть жизнь после смерти, о которой говорят?

Когда я увидела своего молодого человека, то поняла, что я жива. Посмотрела на ноги, и мне показалось, что их нет. Будто от плеч все отрезали. Когда мне поднимали ноги, они как будто были очень далеко, в другом конце комнаты. Я перестала чувствовать их от самых пальцев ног до ключиц.

Был уже вечер. Мы позвонили знакомым врачам, они посоветовали спазмолитики. Казалось, что скоро все пройдет. Молодой человек был в таком ужасе, он был бледный, ему было явно страшно. Но, видимо, весь страх он забрал на себя, потому что мне совсем не было страшно. Он пытался меня успокоить, но мне кажется, что он скорее успокаивал себя, потому что я больше не плакала.

Утром мы позвали знакомого хирурга, он какой-то иголкой поводил мне по животу, груди и ногам. Поспрашивал, чувствую или нет. Потом сказал, что все будет хорошо. Он отвел моего молодого человека на улицу и сказал, что все плохо (но я об этом узнала только через год).

Кстати, «Скорую» вызвали почти сразу, как это случилось, но она приехала только спустя три часа, я уже уснула, и мы решили подождать до завтра. Так как утром ничего не изменилось, решили еще раз вызвать «Скорую». Все это время я в основном молчала: у меня было ощущение, будто я в телевизоре. Все какое-то нереальное. «Скорая» приехала и незамедлительно меня забрала. Мы приехали в больницу, а положили меня в отделение хирургии только к ночи. Все это время в приемном отделении я лежала на каталке и ждала. Я не плакала, а даже улыбалась. Тогда я еще не знала, что завтра это не пройдет.

Всю ночь я не спала, потому что была одна. В палате было еще много людей, но ко мне никто не подходил. Медсестра тоже не заходила, мне не хотелось ни пить, ни есть. Подруги передали мне что-то вкусное, но мне ничего не хотелось.

Утро началось с капельниц. И все: таблетки и капельницы. Через какое-то время меня перевели в другое отделение, уже в нейрохирургическое. Там меня запустили совсем. Я очень долго не ходила в туалет, и мне занесли страшную инфекцию в мочевой пузырь.

Помню, 14 февраля (а это мой любимый праздник) я попросила своего парня приехать и увезти меня подальше от палаты. Так и случилось. Мы попросили больничную инвалидную коляску. Так я оказалась в ней впервые. Ощущения были непередаваемые. Меня сидя шатало. Руки я могла поднимать только перед собой, а если поднимала их чуть выше, то меня тянуло назад. У меня на тот момент были очень длинные волосы, и заплести их было просто невозможно, но выбора не было, и я старалась.

Помню, была одна замечательная няня, которая готова была во всем мне помогать. Ей почему-то не разрешали, и она тихонько приходила ночью и помогала мне сходить в туалет. Я тогда совсем ничего не чувствовала, но понимала, что живот адски болит и что все очень плохо. Потом я узнала, что мне надо делать операцию. Вернее, мне разрешили самой сделать выбор: делать операцию или не делать. Я думала долго, вернее, я просто очень сильно боялась, все-таки это не аппендицит.

У моего молодого человека есть знакомые врачи, и они мне помогли выбить квоту. Меня продержали в больнице еще немного и отправили домой. Я каждый день ждала, что все пройдет. Мне было стыдно за себя такую, я стеснялась купаться, а одна этого делать не могла, потому что падала, и мне приходилось все время удерживаться руками за все вокруг.

Дома я впервые вертикализировалась. Простояла 2 секунды. Через недельку у меня зашевелился большой палец на левой ноге. И вот тогда я впервые начала заниматься дома на эспандерах. Ноги, тело — ничего не шевелилось совсем. Я плакала от того, что голова взрывалась при попытке сделать любое движение.

Я смотрела на ноги, представляла, давила, дергалась и сильно кричала, но ничего не помогало, абсолютно ничего. В туалет ходить я не могла — ничего не чувствовала. И я начала пить. Пить алкоголь. Мне становилось легче, и появлялось ощущение полного безразличия к тому, что со мной происходит. Я понимала, что так нельзя, но адекватно смотреть на все, что происходит, мне совершенно не хотелось.

Подошло время госпитализации и операции. Я готовилась к ней, как к похоронам, и плакала все дни в больнице до операции. Ночи шли так долго!

Настал день Х. Меня привезли в операционную, я и не заметила, как операция началась. Меня подсоединили к разным шнурам и мониторам. Потом поставили ширму перед грудью и навесили надо мной рентген. Слева было четыре монитора, они соединились в один большой. Через пару минут у меня задергалась нога, и оказалось, что операция началась, а я не сплю. Я была в ужасе! Я начала умолять врачей усыпить меня. Объясняла, что не переживу, что точно умру, а у меня маленький ребенок. Мне было очень страшно! Но врачи объяснили, что при такой операции спать нельзя. Мне вкололи обезболивающее, и анестезиолог с медсестрой начали травить анекдоты и показывать мне смешные фотки со своих телефонов. Я смотрела в монитор и видела, как врачи клеят мою опухоль.

Организм внутри чудесный! Все красивое и необычное. Сосуды как деревья. Я начала представлять, что это сказочный лес, и мне нужно сквозь него пройти. Так продолжалось три часа. По разговору врачей я поняла, что все идет хорошо, только вот из-за искривления проводок с клеем не мог сделать резкий поворот, чтобы добраться до самого большого очага. Но им это удалось. Я чуть не сдохла в тот момент, боль пронзила в плече и шее такая, что глаза вылезли наружу. Мне еще раз вкололи обезболивающее, но оказалось, что это было самое больное — вводить клей, который должен склеить опухоль, чтобы она не продолжала расти. Все закончилось, но мое состояние не изменилось! Только вот палец на левой ноге перестал двигаться. Хотя почему-то врач, пришедший через пару дней, спросил, почему я еще не сижу самостоятельно.

Вот тогда и настало время моей реабилитации. Мне установили инвалидность. Я стала заниматься дома. Мой молодой человек ежедневно занимался со мной после работы: учил стоять на четвереньках, на коленках у дивана, качать мышцы на эспандерах. Он делал мне массаж, пробивал импульсы и все мне объяснял и рассказывал. Было ужасно тяжело. Вот так проходил день за днем, больше полугода. Я бросала все и уходила в запой, а потом снова возвращалась к занятиям. Несколько раз я чуть не вышла в окно, но, слава богу, не достала до подоконника.

Я толстела, потом худела. Я и не заметила, как стала пересаживаться. Мой парень научил меня всему. В феврале 2017 года я дождалась самого важного — приезда реабилитолога в Москву из Украины. Его зовут Амиль, и о нем хочется рассказать отдельно. После первого занятия у Амиля я поняла, что шансы у меня есть. Мы занимались всем: и ногами, и руками, и спиной, и прессом.

Сначала я по видео делала все дома, но, когда попала в зал Центра доктора Бубновского, поняла, что это небо и земля. Вот где идет настоящая работа! Я впервые вспотела. Мне было одновременно и страшно, и круто. Единственное, что меня расстроило, так это то, что я не могу попасть к самому Сергею Михайловичу Бубновскому. Эти полгода занятий дома я много о нем читала, смотрела его интервью и передачи. Читала книги и верила, точно знала, что он может мне помочь. Ведь он ходит, но когда-то тоже не мог. И это дает уверенность, тем более — когда ты уже в центре и уже как бы на шаг ближе к своей цели.

Ну, в общем, работала я очень много и никогда не сидела на месте. Если занятия кончались, я находила, чем себя занять: уборка, стирка, готовка, поездка с сыном погулять. Я всегда была чем-то занята, хотя у меня, естественно, сначала не получалось ничего: все падало из рук, я разбила несколько телефонов, кружек, тарелок. Я даже обжигалась десяток раз, но выбора у меня не было: мне нужно было кормить себя и моего молодого человека, а мамы, папы и нянек у меня не было.

Я старалась ничем не отличаться от здоровых ходячих девчонок, поскольку очень боялась, что если буду валяться на диване и делать из себя несчастную, не готовить и не убираться, то такая я никому не буду нужна. И я начала тренировать себя в быту:

готовила разные блюда, от простой яичницы до борща. Потом стала учиться печь пиццу, пирожки и так далее. Самым тяжелым для меня было — это застелить кровать: держать руки вверху и при этом надевать наволочку на подушку или еще хуже — пододеяльник. Я училась самостоятельно пересаживаться в ванну, на специальный стульчик. Упала несколько раз на кафель — хорошо, повезло, что ничего не сломала. Это закаляет.

Я научилась пересаживаться с пола на коляску, а это вообще отдельный случай. Я сидела дома на полу и занималась. Я была одна, близкий человек ушел ненадолго по делам. Нам как раз на днях должны были привезти стиральную машину, а пока ее не было, там из трубы вода капала в ведро. И вдруг в какой-то момент я перестала слышать, как капает вода, а это означало, что она уже начала вытекать. И в тот момент я почему-то не подумала, что могу просто доползти, а машинально попыталась встать, держась за коляску. Не помню, как я в нее залезла — помню, что стою в ванной и выливаю в раковину воду из ведра. Потом, успокоившись, я поняла, что если в стрессовой ситуации я сама забралась на коляску, то смогу это делать и в спокойной обстановке, если потренируюсь. Именно этим я и занялась. Были и слезы, и срывы: я психовала, била коляску, пол, стены. Потом посижу чуть-чуть, и полегчает. И тогда по новой. Научилась. И все это я научилась делать только тогда, когда стала заниматься в Центре доктора Бубновского.

Я сама по себе очень пробивной и любопытный человек. Пробивной — это с детства, поскольку оно прошло в детском доме, а там без таких качеств, как стойкость, мужество, уверенность, а порой и жестокость, просто не выжить. Вернее, не вырасти человеком. И эти качества развились у меня на «отлично». А любопытство мое привело к тому, что я, пока занималась, стала много спрашивать о том, что и как работает, почему и зачем нужны те или иные упражнения и движения. Стала расспрашивать других пациентов о том, что и как произошло у них. Мне было жутко интересно. Из каждой истории я в своей голове снимала если не фильмы, то по крайней мере сериалы. И я даже не помню, как так получилось, что мы решили записывать короткие видео каждого случая. Мне казалось, что это кому-нибудь поможет, поскольку многие пациенты после травмы спины не выходят из дома и ставят на себе крест, так как врачи об этом говорят и убеждают их. А я видела, как работают до пота, до скрежета зубов те люди, чьи травмы изначально казались несовместимыми с жизнью! И мне стало даже стыдно думать о себе и жалеть себя.

Видео я стала выкладывать в соцсети, и мне начали писать многие люди: они спрашивали, что у меня и как. Просили совета и помощи. А я передавала все врачам, так как понимала, что не имею медицинского образования и знаю, что дистанционно полноценно помочь людям нельзя, нужно каждого человека смотреть и находиться с ним рядом. Ребята стали приезжать на реабилитацию. Как бы странно это ни звучало, но именно другие ребята, которые приезжали к нам, стали моим стимулом. Мне хотелось скорее восстановиться, скорее добиваться результатов, чтобы рассказать им и показать. Они ждали, и я не могла их подвести.

Вы знали, что мысли действительно материальны? Я очень хотела, чтобы с нами работал сам Сергей Михайлович Бубновский. Я думала, что если я буду заниматься под его контролем, то точно скоро стану здоровой. Я сотню раз представляла, как я на своих ногах иду в свадебном платье к своему будущему мужу, представляла, как у моего сына появится сестренка. Но, смотря на себя настоящую, я понимала, что это невозможно — вернее, мне так казалось. И случилось так, что моя мечта сбылась, и не только у меня, но и у всех наших ребят, с которыми я занималась: Сергей Михайлович взял нас под свое уверенное, сильное плечо. И понеслось!

Мы начали заниматься в Центре доктора Бубновского на Авиамоторной. Здесь все пошло как-то иначе — живее, активнее и продуктивнее. От одного голоса Сергея Михайловича идет выброс эндорфина. У девчонок выдержка стала, как у солдат на войне. Мальчишки почувствовали себя увереннее. Когда ты слышишь, что у того или иного включилась четырехглавая мышца, бицепс, трицепс, поясница или пресс, или же кто-то смог сам поесть, смог сам пересесть, вышел на улицу или даже обзавелся машиной, это такое счастье, будто твой ребенок первый раз сказал «мама»!

Мы — это одна большая команда. Мы отмечаем даже маленькие победы каждого. Мы их фиксируем и работаем на их развитие. Я пишу, а у самой слезы на глазах, когда вспоминаю, что прошло уже два года моей личной борьбы за полноценную жизнь. И я не могу поверить, что сейчас уже хожу на ходунках. Да! Я хожу! А совсем недавно у меня шевелилась только голова.

Я, конечно, пока передвигаюсь на коляске, поскольку только оттачиваю технику ходьбы, шаг за шагом. На улицу на ногах я пока еще не выхожу, на дальние расстояния передвигаюсь только на коляске. Но такой успех за два года работы по методике дает мне стопроцентную уверенность, что в скором будущем я смогу прогуляться на ходунках по улице, а еще через какое-то время пойду гулять за ручку со своим сыном. Очень многие из нашей большой семьи Центра доктора Бубновского вложили частичку себя в меня, в мои успехи. Врачи, реабилитологи и многие инструктора поддерживали и поддерживают меня и по сей день: хвалят, настраивают, мотивируют. Пациенты из общих залов заходят к нам и хотят работать в нашем зале вместе с нами, потому что, как они говорят, такая мощная у нас мотивация.

И я могу с уверенностью сказать, что последние два года — это лучшее, что происходило со мной в жизни!

ИНВАЛИДНОСТЬ ПЕРВОЙ ГРУППЫ И ВЕРА В СЕБЯ

Здравствуйте! Меня зовут Галина, мне 43 года. Я инвалид I группы, передвигаюсь в коляске. Приехала из Белоруссии, из села Горки. Прошла три цикла лечения в Центре доктора Бубновского, начала четвертый. Я очень благодарна судьбе за то, что оказалась в этом центре! После консультации Сергея Михайловича Бубновского у меня появилась надежда, что я буду ходить! Слезы так и текли по щекам: все-таки стаж 15 лет, из них 7 лет в коляске! От врачей только и был приговор: «Надо смириться и жить, у вас болезнь Фридрейха, это неизлечимо». И тут я услышала такое: «Ты будешь ходить, только для этого надо много трудиться. А мы поможем».

Сейчас я сама твердо могу сказать — я буду ходить! Я уже сама стою, учусь ходить с ходунками. Я так благодарна всему коллективу, который со мной работает! Прекрасные, понимающие и очень внимательные инструктора. Это настоящие профессионалы своего дела! Здоровья им и всех земных благ!

Занятия проходят по полтора-два часа, очень трудно морально и физически. Но главное — не отчаиваться и не жалеть себя. Смотреть только вперед! Это большой труд, но он стоит того, когда ты видишь результат!

ТРАВМА ПОЗВОНОЧНИКА: НУЖНО ЛИ ОПЕРИРОВАТЬ

Здравствуйте, меня зовут Екатерина, мне 26 лет. Занимаюсь в Центре кинезитерапии в Москве. У меня травма позвоночника (компрессионный перелом). Несколько лет прикована к кровати: больницы, лекарства… Но никакого смысла в этом не наблюдалось, да и врачи убеждали, что подобные травмы восстановить невозможно. *Я пыталась сама заниматься в домашних условиях: делала различные физические упражнения, экспериментировала, пробовала многие методики. В надежде на чудо и избавление от своих мучений я искала специализированные центры реабилитации и увидела рекламу центра Бубновского, решила попробовать.*

Позвонила в центр и приехала на консультацию. С первого же визита мне там очень понравилось. Была проведена консультация С. М. Бубновским с подробным осмотром и оценкой состояния опорно-двигательного аппарата. Мне предложили индивидуальную схему лечения, закрепили инструктора и провели тестовый урок. После пробного занятия я поняла, что в таком ритме мне стоит заниматься регулярно.

Прошла два курса необходимого лечения, и в моем организме произошло множество улучшений: выпрямилась осанка, частично прошла боль в пояснице, укрепились мышцы как плеч, так и ног, они стали как бы живые. Конечно, первые дни занятий проходили очень тяжело: нужно было приложить много усилий, чтобы заставить работать парализованные мышцы. Но сила воли, квалифицированные инструктора и тренажеры МТБ делают свое дело: от этих занятий улучшается не только физическое состояние организма, но и эмоциональное.

Мне очень нравится заниматься по методике Бубновского. Сейчас я втянулась, прохожу уже третий курс занятий и думаю, что останавливаться пока не буду.

Всем, у кого есть проблемы с суставами или позвоночником в целом, я рекомендую и советую незамедлительно обратиться в центр С. М. Бубновского. Кинезитерапия — это жизнь!!!

Это письмо достаточно характерно для центров современной кинезитерапии, в которых занимаются пациентами с позвоночно-спинномозговой травмой. К сожалению, при компрессионных переломах позвоночника общепринятым методом лечения считается установка металлоконструкции (спондилодеза), которые выключают из движения не только непосредственно травмированные позвонки, но и соседние с ними. Это называется иммобилизацией. Но подобная практика нередко (если не в подавляющем числе случаев) не способствует восстановлению нейромышечной связи между выше- и нижележащими по отношению к месту травмы отделами позвоночника. То есть при получении подобной травмы и возникновении плегии (паралича нижних конечностей) подвижность и иннервации не восстанавливаются. В этом случае пострадавший все равно садится в инвалидную коляску, но уже с металлоконструкцией в позвоночнике, которая на самом деле не укрепляет позвоночный столб за счет глубоких связок и мышц (он и так держит свой «столб»), а мешает восстановить чувствительность (то есть провести реиннервацию) за счет возможности включить эти самые глубокие мышцы позвоночника, в которых на самом деле и возникла данная проблема — потеря чувствительности.

При компрессионном ударе деформируется костно-хрящевая структура позвоночника. Об этом всегда свидетельствует рентгенодиагностика. На это и направлены усилия нейрохирургов, которые в последнее время расширили свое поле действия в том числе и на остеохондроз позвоночника, в котором находят грыжи и секвестры, выдаваемые ими за причину болей в спине. И если при наложении спондилодеза на позвоночник при грыже МПД еще возможно сохранение иннервации (чувствительности), так как отсутствует компрессионная травма, и пациент частично может сохранить свою трудоспособность, то при компрессионных переломах позвоночника, во всяком случае, I—XII степеней, проблема заключается именно в паравертебральных (околопозвоночных) мягких тканях. То есть в глубоких мышцах позвоночника, сквозь которые проходят нервы и кровеносные сосуды, временно прекратившие свою насосную функцию из-за компрессионной травмы. Поэтому после получения даже очень тяжелой травмы позвоночника наложение металлоконструкции на позвонки (а именно это делают в многочисленных случаях) бессмысленно, потому что позвонки не имеют ни нервов, ни сосудов (разве что внутрикостных), а боль исходит из травмированных компрессией мышц позвоночника, так как именно болевые рецепторы мышц дают сигнал о боли.

Главными реабилитационными средствами в таких случаях являются:

а) локальная криотерапия на место травмы (компресс со льдом);

б) растяжение поврежденных мышц с помощью специальных упражнений с постепенным «включением» их насосной функции, то есть восстановлением кровотока. Конечно, для подобной медицинской помощи требуется высокая квалификация врача, но в таком случае пострадавший в инвалидную коляску не сядет.

Но в наши центры, как правило, «спинальники» или «колясочники» поступают именно после операции на позвоночнике. Я могу привести десятки таких случаев, но машина хирургии работает четко: если компрессионный перелом позвоночника — значит, устанавливается металлоконструкция. Если «неходячий» или «спинальник» после операции попадает в наш Центр современной кинезитерапии, мы создаем ему программу, в результате которой шурупы разбалтываются, и пластина начинает «гулять». Ее со временем надо снимать, после чего продолжить реабилитацию до восстановления чувствительности. В таких случаях основной страшилкой хирургов является упоминание об осколках, травмирующих мягкие ткани позвоночника. Но это миф. На самом деле эти осколки задерживаются в глубоком мышечно-связочном слое позвонков, и никакого повреждения сосудов не возникает. Если бы они травмировали кровеносные сосуды позвоночника, то было бы артериальное кровотечение. Травмы, конечно, бывают разными по степени тяжести, но чрезмерное увлечение металлоконструкциями привело к тому, что установка таких конструкций производится практически во всех случаях компрессионной травмы. С моей точки зрения, такой подход далеко не всегда является правильным и оправданным решением. В этом случае вся надежда возлагается на грамотную медицинскую реабилитацию, целью которой является поставить пациента на ноги. И чем раньше после травмы начнется реабилитация, тем лучше. Понимаю, что таким подходом я вызываю на себя огонь хирургов, но я всегда могу продемонстрировать подобные медицинские ситуации с двух сторон.

При компрессионных переломах позвоночника главными реабилитационными средствами являются:
а) локальная криотерапия на место травмы (компресс со льдом);
б) растяжение поврежденных мышц с помощью специальных упражнений с постепенным «включением» их насосной функции, то есть восстановлением кровотока, которое должно проводиться под наблюдением квалифицированного врача.
В этом случае пострадавший в инвалидную коляску не сядет. И чем раньше после травмы начнется реабилитация, тем лучше будет результат.

Глава 12
КОМПРЕССИОННЫЙ ПЕРЕЛОМ ПОЗВОНОЧНИКА

. . . .

В последние годы (начиная с 2000-х годов) все чаще встречаются пациенты с тяжелыми осложнениями после оперативных вмешательств на позвоночнике, которые проводятся при компрессионных переломах позвоночника. Причем подобные операции (например, транспедикулярная фиксация, особенно в комбинации со спондилодезом, то есть наложением металлических конструкций на несколько позвонков в области перелома даже одного позвонка) стали проводить не только в острый период, например, сразу после травмы (ЛТП или падения с высоты), когда пациент доставляется в стационар в бессознательном состоянии и ему проводится интенсивная терапия, целью которой является поддержание функций жизненно важных органов при абсолютной нестабильности позвоночника (при нарушении вертикальной оси со смещением зоны перелома в разные стороны), но и спустя достаточно продолжительное время после травмы — через 2—3 недели. Пациент при этом может находиться в стационаре, когда непосредственной угрозы жизни вроде бы уже нет, но хирурги все равно убеждают его в необходимости такой операции и уговаривают на ее проведение.

Согласно показаниям, пациент находится на постельном режиме, да еще с какими-то фиксирующими позвоночник устройствами — шинами, воротниками. Двигаться такому пациенту не разрешают. В таких случаях ему, конечно, обеспечивается определенный уход, но тактика полной иммобилизации зачастую приводит к развитию пролежней и контрактур. Это можно понять, если у пациента наблюдается тетраплегия, то есть полная парализация конечностей — такие случаи мы рассматривать не будем. Давайте вернемся к состоянию после травмы, когда пациент хотя бы в какой-то степени начал двигаться, а чувствительность в конечностях утеряна только частично.

Как ни странно, по крайней мере для меня, подобная операция называется декомпрессией. С одной стороны, это транспедикулярная фиксация, то есть выключение движений в двух соседних позвонках. С другой стороны, это спондилодез, когда пластиной или даже двумя пластинами намертво фиксируют уже как минимум три позвонка так, что деформированный позвонок оказывается в середине. Эта пластина фиксируется шурупами в телах позвонков, которые разводятся друг от друга на расстояние высоты межпозвонкового диска (дисков). С точки зрения хирургов, «разведение» позвонков — это декомпрессия. Но если учесть тот факт, что они фиксируются этой пластиной практически навсегда и так же навсегда лишаются подвижности, то как называется такое состояние? Разве это декомпрессия? В действительности получается та же функциональная компрессия, с которой хирурги борются, но по-своему! По этой причине у меня возникает ряд серьезных вопросов и к такому хирургическому лечению, и к алгоритму «необходимости спондилодеза»!

Хочу предупредить, что я хорошо знаком с типами и характеристиками повреждений при позвоночно-спинномозговых травмах. Я давно и успешно занимаюсь физической реабилитацией пациентов с такими травмами как в остром и подостром периодах, так и после проведенных операций.

Компрессионный перелом — это перелом тела позвонка, он может быть линейный, компрессионный, оскольчатый, компрессионно-оскольчатый. Перелом заднего полукольца позвонков, переломо-вывихи, «взрывной» перелом тела позвонка — это закрытые переломы, открытые — это нарушение целостности кожных покровов на уровне повреждения, в этом случае возникает опасность инфицирования.

Мы говорим о закрытых переломах, которых, к сожалению, бывает великое множество, но клинически выделяют синдромы частичного или полного нарушения проводимости спинного мозга. «Степень необратимости изменений определяется по мере ликвидации явлений спинального шока» (А. Н. Белова «Нейрореабилитация» — руководство для врачей). И все дело в этом «определении необратимости»? Тем более что дифференциальная диагностика, по словам А. Н. Беловой, нередко бывает затруднительной. Тот же «спинальный шок» клинически выражается разными симптомами — от паралича и потери всех видов чувствительности до нарушения функции тазовых органов. Но та же А. Н. Белова указывает, что «для спинального шока характерна обратимость неврологических нарушений в остром и раннем периодах позвоночно-спинномозговых травм (ПСМТ)». Таким образом, получается следующая картина: вроде как и страшно, но жить все-таки надо. А как жить — под себя или нормально, это уже вопрос медицинской технологии.

У меня есть множество вопросов по всем вышеизложенным аспектам ПСМТ, на которые я могу ответить:

1) Почему пожилым людям с остеопорозом позвоночника и наличием множественных компрессионных переломов позвонков не предлагают операции спондилодеза (хотя случается и такое), но они живут себе много лет и при этом не испытывают каких-то особых неудобств, кроме слабости и болей в спине?

Отвечаю: крепить пластины не к чему — рассыплются позвонки.

2) Пришла пациентка в возрасте 67 лет с болями в спине. На снимке застарелый перелом позвоночника с клином Урбана (ось позвоночника была сломана на уровне грудного отдела, и позвонки срослись боковыми поверхностями). Травме 20 лет. Не оперировалась. Сейчас женщину начало гнуть вниз, появилась сутулость, но все это на фоне дряхлости. То есть такой жестокий перелом не повредил спинной мозг! Тогда почему, с точки зрения хирургов, осевые компрессионные переломы должны его повредить? Для устрашения пациентов хирурги говорят об осколках

(оскольчатый перелом), которые повредили спинной мозг, но умалчивают при этом, что почему-то нет ликвореи, которая, по идее, должна быть, так как спинной мозг (до 2-го поясничного позвонка) находится в дуральном мешке, заполненном ликвором. Ликворея — это практически паралич, она часто возникает после неосторожных хирургических действий.

Отвечаю: не повезло пациенту.

3) Почему после ПСМТ чувствительность в конечностях частично сохраняется, а после проведения операции по фиксации позвонков она очень часто исчезает совсем?

Отвечаю: потому что происходит хирургическое повреждение нервных корешков.

4) Почему в качестве дифференциальной диагностики, то есть определения степени поражения позвоночника, а вместе с ним и спинного мозга, не используется (в постели) миофасциальная диагностика?

Отвечаю: специалисты ею просто не владеют!

> **При получении травмы должны исследоваться все ткани: как плотные соединительные (кости и хрящи), так и мышечные ткани, у которых главным свойством является способность к сокращению — «насосная» функция.**

Несмотря на все это, мышечную, или миофасциальную, диагностику проводить не принято. Получается, что анатомию позвоночника специалисты либо не знают, либо не понимают: они разработали десятки различных опросников, шкал и тестов для пациентов (они применяются, например, в американской Ассоциации спинальной травмы) и считают, что этого достаточно. Поэтому весь реабилитационный мир живет по принципу: здоровье вторично — главное суета (дорогостоящая) вокруг больного. Об этом я уже рассказал в главе про остеохондроз и грыжи МПД.

Мне «повезло». В свои 22 года я попал в ДТП и получил тяжелейшие травмы опорно-двигательного аппарата. 27 лет костылей и операций, трех из которых я мог бы избежать, если бы врачи владели знаниями о лечебной функции миофасциальных тканей. Но мне спасли жизнь, спасибо! Кстати, последнюю операцию делал в США. Этой операцией я доволен: сделали прекрасно! Но это была замена тазобедренного сустава, а это несколько другое. Я благодарю судьбу за то, что, когда после ДТП врачи соединяли мои разломанные конечности, они не обратили внимания на компрессионные переломы поясничных позвонков, которые я обнаружил спустя несколько лет, уже будучи врачом. Кровь не хлестала из спины, позвонки не вывернулись наружу, и ладно!

К чему все эти вопросы? Да к тому, что подавляющее число пациентов, перенесших операцию спондилодеза (установку пластины) на позвоночнике после компрессионного перелома или после удаления грыжи МПД, к полноценной жизни так и не вернулись. Не помогли им эти дорогостоящие хирургические технологии! А те, кто смог вернуться к двигательной активности, спустя некоторое время (обычно через

1—3 года) стали вновь испытывать мучительные боли в спине, причем не только в зоне операции, но и значительно шире этой зоны — в точках, которые называются триггерными.

При миофасциальной диагностике боли в паравертебральных мягких тканях (околопозвоночных мышцах) после операции допускаются на 4—5 позвонках поясничного отдела. Они ощущаются от грудного отдела и распространяются на ноги, на бедра, при этом таблетки и другие обезболивающие не помогают от них избавиться. В то же время в тех случаях, когда после компрессионных переломов позвоночника операции спондилодеза («декомпрессионной фиксации») не проводились, а пострадавшие получили комплекс реабилитационной кинезитерапии, то такие пациенты не только вернулись к полноценной жизни, но и не испытывали болей в спине в последующие годы, хотя надо сказать, что в последующие годы они выполняли профилактические упражнения на тренажерах.

О некоторых наиболее ярких и получивших широкую известность случаях таких травм, которые произошли на трассах ралли «Париж — Дакар», я написал в книге «Реабилитация после травмы». Если люди, пострадавшие от подобных травм при ДТП или падении с высоты, обращались ко мне с компрессионными переломами позвоночника до поступления на хирургический стол, то они возвращались к полноценной трудоспособности. Но те пациенты, которые перенесли операцию, обращаются уже либо за реабилитацией, либо поступают в инвалидных колясках!

> **При травмах позвоночника мышечную, или мио-фасциальную, диагностику проводить не принято. Получается, что анатомию позвоночника специалисты либо не знают, либо не понимают, поэтому весь реабилитационный мир живет по принципу: здоровье вторично — главное суета вокруг больного.**

Почему это происходит? Отвечаю. Дело в том, что все случаи подобных травм рассматриваются врачами только на основании снимков рентгена или МРТ. Но эти методы диагностики характеризуют только состояние скелетных соединительных тканей, в группу которых входят хрящевые и костные ткани. Напомню, что эти ткани выполняют механические и обменные функции:
- участвуют в создании опорно-двигательного аппарата (ОДА);
- защищают внутренние органы от повреждений;
- участвуют в обмене минеральных веществ (кальция и фосфатов);
- играют формообразующую роль в процессе эмбриогенеза: на месте многих будущих костей сначала образуется хрящ.

Общей особенностью данных тканей является их высокая минерализация и очень низкое содержание воды в костях, что придает межклеточному веществу твердую консистенцию, которая и поддается изучению с помощью лучевых методов диагностики — рентгена, МРТ и КТ.

Например, в хрящевых тканях межпозвонковых дисков кровеносные сосуды и нервы отсутствуют! К тому же межклеточное вещество хрящей непроницаемо для крупномолекулярных белков. Кстати, из-за этого свойства назначение всевозможных БАД типа хондропротекторов, так же как и препаратов кальция, бессмысленно, так как крупномолекулярные молекулы просто не могут попасть ни в хрящи, ни в кости. И хотя кости в отличие от хрящей имеют костные канальца, через которые по кровеносным капиллярам в костную ткань диффундируют питательные элементы, это свойство костной ткани хирургами не учитывается, так как диффузия (проникновение) происходит с помощью паравертебральных мягких тканей (глубоких мышц), действие которых «выключается» металлическими скобами или пластинами, накладываемыми на позвонки при хирургическом вмешательстве.

В дальнейшем это приводит к перестройке костей, и резорбция (разрушение) начинает преобладать над остеогенезом (развитием). Питание не поступает в кости, и масса костей постепенно уменьшается (т. е. происходит дегенерация). В результате развивается остеопороз — разрежение костного вещества. В этом случае бесполезно «кормить» тело таблетками, лечить физиотерапией (форезами) и прочими процедурами: если не работают околопозвоночные мышцы, кости разрушаются!

Об этом говорит гистология — наука о строении тканей, с которой тесно связаны цитология (наука о строении клеток) и эмбриология (наука о развитии тканей). Это учебный материал, но гистология изучается, к сожалению, только на первом курсе медицинского вуза, и по существу она не привязана к клинической терапии. А жаль: это азбука терапии и хирургии! Дело в том, что все проблемы ОДА (остеохондрозы, спондилезы, сколиозы и т. д.) относятся к костно-мышечной системе. При получении травмы (например, позвоночника) должны исследоваться все ткани: как плотные соединительные (кости и хрящи — МРТ или рентгеном), так и мышечные ткани, у которых главным свойством является способность к сокращению («насосная» функция).

ЧТО МЫ ЗНАЕМ О МЫШЦАХ

Мышечные волокна — это основной и единственный элемент скелетной мышечной ткани. Но если говорить о скелетных мышцах как об органах, то помимо мышечных волокон в них содержатся также и другие компоненты: соединительнотканные прослойки и фасции, а в соединительнотканных прослойках — сосуды и нервы! То есть все питание костной и хрящевой ткани обеспечивается глубокими околопозвоночными мышцами, которые не только поставляют питательные элементы в скелет, но и содержат органы чувств — ноцирецепторы, то есть болевые рецепторы, которые и обеспечивают коммуникацию между мышцами и спинальным мозгом по двигательному нерву (аксону) и сигнализируют о проблемах болевым синдромом.

К ноцирецепторам также относятся:

а) мышечные веретена (брюшко мышцы), или тензорецепторы, сигнализирующие головному мозгу о растяжении мышц, а в головном мозге эти сигналы оцениваются (т. е. возникает боль) или не оцениваются (анестезия);

б) нервно-сухожильные веретена, которые находятся в месте крепления мышц к сухожилиям и реагируют на сокращение (сжатие, спазм). История коммуникации такая же: мышцы -> аксон -> спинной мозг -> головной мозг;

в) свободные нервные окончания — их очень много, и они реагируют практически на все сигналы: давление, растяжение, температура (горячо — холодно), повреждение.

> **Ввинчивая в позвонки совершенно ненужные и бессмысленные при компрессионных переломах шурупы, хирурги наносят ущерб и миелопоэзу (кроветворению), и лимфопоэзу (образованию лимфоцитов).**

Таким образом, все болевые сигналы от позвоночника идут не от сломанных позвонков и дисков, а от околопозвоночных мышц, которые и повреждаются при компрессионных переломах (сдавливаются, растягиваются, травмируются). Но беда в том, что состояние этих мышц не оценивается при травмах и не наблюдается на рентгеновских снимках, хотя подобные травмы сопровождаются гематомами, отеками и болезненностью при пальпации. И вместо того чтобы создать динамическое или декомпрессионное (истинное) растяжение, их «убивают» обезболивающими препаратами и навсегда выключают из режима «насоса» спондилодезами, создавая в дальнейшем сначала их атрофию, а затем и дистрофию (то есть выключение их питательной и транспортной функции). Как следствие, развивается резорбция, затем остеопороз и… появляется боль в спине! И эту боль снять уже очень трудно.

В то же время сами позвонки по своей структуре состоят из губчатой ткани (!). То есть в их строение, условно говоря, заложена компрессионная травма. Они могут даже сами по себе ломаться по оси при разрежении костной ткани, как это происходит с пожилыми людьми при остеопорозе. Причем эти остеопоретические компрессионные переломы не вызывают боли: у пожилого человека при остеопорозе просто меняется осанка, и он становится меньше ростом. При остеопорозе мышцы не травмируются — они атрофируются!

Поэтому спондилодез при компрессионных переломах позвоночника — это не медицинская помощь, а травма, усугубляющая перелом позвоночника! Кроме того, необходимо хорошо понимать строение позвоночника. Внешняя «оболочка» позвонка по строению близка к компактной (плотной) костной ткани, а внутреннее содержимое — к губчатой костной ткани, то есть шуруп, ввинченный в позвонок после прохождения плотной оболочки, практически «болтается» в губчатой костной ткани. Впоследствии, когда пациент начинает активно двигаться, наложенные на позвонки пластины (спондилодез) тоже начинают двигаться, принося дополнительные боли!

Но и это еще не все. Дело в том, что именно в губчатом костном веществе, которое находится во внутренней части позвонка, расположен красный костный мозг — центральный орган кроветворения. Он находится в ячейках этого губчатого вещества, и в нем (а также в тимусе) образуются все форменные элементы крови: эритроциты, гранулоциты, моноциты и тромбоциты, а также молодые лимфоциты, созревающие впоследствии в периферических органах кроветворения — лимфоидной системе. Таким образом, ввинчивая в позвонки совершенно ненужные и бессмысленные при компрессионных переломах шурупы, хирурги наносят ущерб и миелопоэзу (кроветворению), и лимфопоэзу (образованию лимфоцитов)!

Я встречал совершенно чудовищные осложнения у детей, перенесших операции при «коррекции» сколиоза металлическими конструкциями. Причем родители таких детей не хотели признавать свою ошибку, которая заключалась в согласии на подобную операцию, так как хирурги находили другие причины и объяснения тем аутоиммунным заболеваниям, которые появились как осложнение от проведенной операции.

Так что делать при подобных травмах? Ответ один: в этом случае нужна только современная кинезитерапия на тренажерах МТБ в условиях больничной кровати в сочетании с местной криотерапией и применением пантоник-геля!

Глава 13
НЕ БОЙСЯ БОЛИ В СПИНЕ

Упражнение 1

Под поясницей — ледяной компресс, на выдохе поднимаем лопатки вверх, руки за головой. Выполнить от 10 до 30—50 повторений.

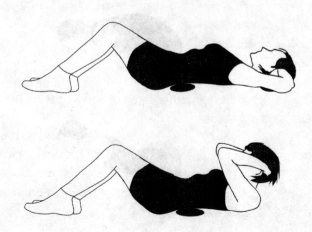

Упражнение 2

Лежа на спине, с выдохом «ха-а» поднимаем ягодицы вверх, плавно опускаем. Выполнить от 10 до 30 повторений.

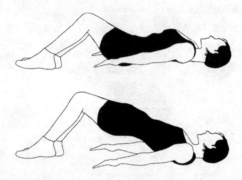

Упражнение 3

На выдохе прогибаемся спиной вверх; голову опускаем. Затем на выдохе прогибаемся спиной вниз, голову поднимаем. Выполнить от 10 до 30 повторений.

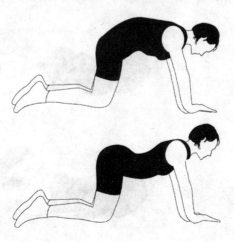

Упражнение 4

Ходьба на четвереньках, максимально растягивая шаг.

Руки вытянуты перед собой, на выдохе опускаемся ниже. Меняем ноги местами, с выдохом ползем. Выполнить от 10 до 30 повторений (можно так ползать по дому).

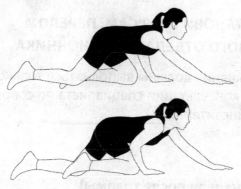

Отжимания с коленок

Ложимся на живот, опора на колени и кисти. На выдохе поднимаем корпус вверх, выпрямляем руки. В пояснице не прогибаемся! Выполнить от 10 до 20 повторений в подходе.

После завершения выполнения упражнений комплекс можно повторить еще 1—2 раза.

ВОССТАНОВИ СЕБЯ САМ: ПЕРЕЛОМ ШЕЙНОГО ОТДЕЛА ПОЗВОНОЧНИКА

(Упражнения должны выполняться только после консультации специалиста по современной кинезитерапии)

I этап
(1—2 недели после травмы)

Упражнение № 1

И.П.: лежа на спине, руки вытянуты за голову, ноги согнуты в коленях или прямые, тяга руками резиновых амортизаторов, закрепленных за неподвижную опору, до касания локтями туловища. Сначала выдох и на начале выдоха — тяга. В случае невозможности удерживать руками концы амортизатора нужно за-

Вариант а

фиксировать их за кисти любыми фиксаторами (бинтами или специальными манжетами).

Варианты:

а) одновременно двумя руками;

б) попеременно;

в) если одна рука не может тянуть амортизатор, помогать ей здоровой, держа ее за запястье

Выполнить 10—20 повторений.

Действие:

1. Позвоночник фактически зафиксирован на полу, и движение руками не смещает позвонки, чего боятся хирурги.

2. «Включение» мышц плечевого пояса в движение восстанавливает кровообращение и микроциркуляцию в зоне поражения. Исчезает отек, затем боль, и постепенно восстанавливается сила в руках — для мышц верхней части спины (длиннейшая и трапециевидная).

Упражнение № 2

И.П.: то же. Поднимать прямые руки над головой, держа резиновые амортизаторы за концы и растягивая их при этом.

175

Вариант а

Варианты:

а) руки вместе;

б) поочередно;

в) слабой рукой с помощью сильной. Действие то же, но с включением грудных мышц.

Упражнение № 3

И.П.: то же. Тяга прямыми руками резиновых амортизаторов, держа их за концы, в стороны — вниз.

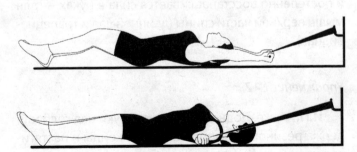

Действие:

То же, но с включением дельтовидных и широчайших мышц.

Выполнить 10—20 повторений.

Упражнение № 4

И.П.: то же, но ноги упираются в неподвижную опору. Руки опущены вдоль туловища и держатся за концы зафиксированных к неподвижной опоре амортизаторов.

Действие:

Варианты:

а) подъем рук через стороны вверх и медленное опускание вниз;

б) подъем прямых рук до уровня лица.

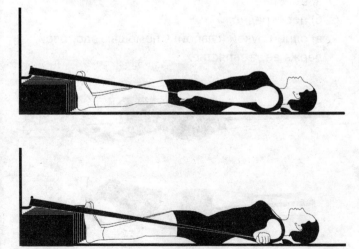

Вариант а

Вариант б

Упражнение № 5

И.П.: лежа на спине, руки согнуты в локтях и держат амортизаторы на уровне плечевых суставов, которые закреплены на ногах.

Действие:

разгибание (жим) рук вверх:

а) вместе;

б) поочередно;

в) одной рукой (слабой) с помощью здоровой, держа ее за запястье.

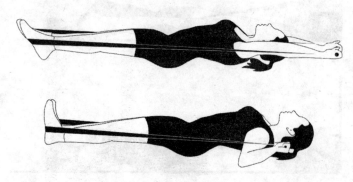

Вариант а

178

Примечание для всех упражнений:

1. Подъем рук, тяга руками, опускание рук с усилием, жим — на выдохе «ха-а» (сначала выдох — движение «догоняет» выдох).

2. Желательно выполнять количество повторов каждого упражнения по 10—20.

3. Усиливать упражнение за счет:

а) увеличения количества резиновых амортизаторов;

б) уменьшения длины амортизаторов.

II ЭТАП
(3—4 недели после травмы)

Упражнение № 6

И.П.: лежа на спине в проеме двери. Вытянутыми вверх руками держаться за турник, закрепленный в дверном проеме (продается в спортивном магазине).

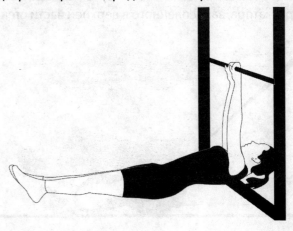

Действие:

Подтягивание с подниманием верхней части туловища. Таз лежит на полу. Выполнить 10—20 повторений.

Упражнение № 7

И.П.: лежа на спине. Тяга руками резинового амортизатора, закрепленного в верхней части стены.

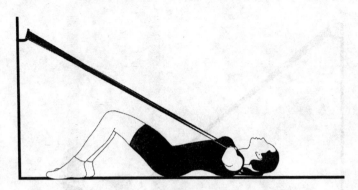

Вариант а

Действие:

тяга руками к туловищу:

а) лежа на спине;

б) в положении сидя.

Вариант а

Упражнение № 8

И.П.: сидя между стульями. Руки согнуты в локтях и упираются в края стульев.

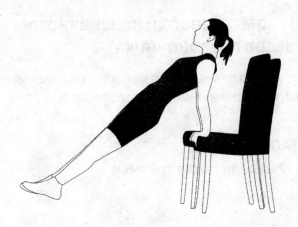

Действие:

разгибание рук («отжимание») с отрывом таза от пола. Выполнить 10—20 повторений.

III ЭТАП
(через месяц)

1. Работа на тренажерах МТБ-I—IV. Те же упражнения с использованием универсальной скамьи, поочередно с верхних и нижних блоков. Постепенно увеличивать вес отягощений на блочных стойках (в центре кинезитерапии).

2. Массаж паравертебральных мышц со специальным гелем и последующим криокомпрессом.

3. Сауна по правилам русской бани.

4. Специальные добавки, улучшающие обмен веществ в работающих мышцах (имеются противопоказания, поэтому они назначаются после консультации врача — специалиста по современной кинезитерапии).

ПЕРЕЛОМ ГРУДНОГО И ПОЯСНИЧНОГО ОТДЕЛОВ ПОЗВОНОЧНИКА

(все упражнения назначаются специалистом центра современной кинезитерапии)

I ЭТАП
(1—2 недели после травмы)

Упражнение № 9

И.П.: лежа на спине, головой к стене, руки держатся за неподвижную опору.

Действие:

тяга (опускание) ногой резинового амортизатора, закрепленного в верхней части стены (скоба, кронштейн), до касания пяткой пола. Резиновый амортизатор закреплен за область нижней трети голени манжетой. Выполнить 15—20 повторений.

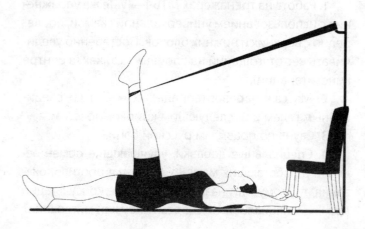

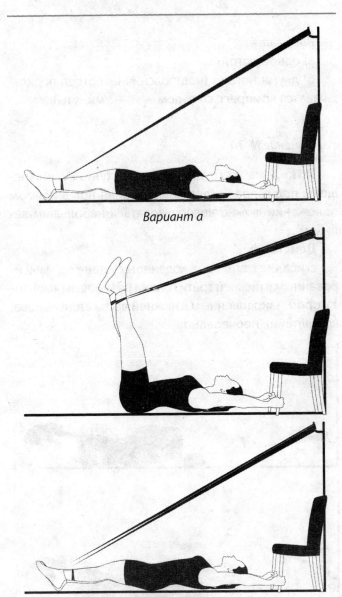

Вариант а

Вариант б

Варианты:

а) одной ногой;

б) двумя ногами (под поясничный отдел подкладывается компресс со льдом — 1—2 минуты).

Упражнение № 10

И.П.: лежа на груди, ногами к стене. Руки скрещены под головой (для поддержания ног в прямом положении можно воспользоваться небольшим валиком).

Действие:

сгибание (тяга) ног в коленном суставе с зафиксированным к нижней трети голени резиновым амортизатором, закрепленным к нижней части стены (скоба, кронштейн), поочередно.

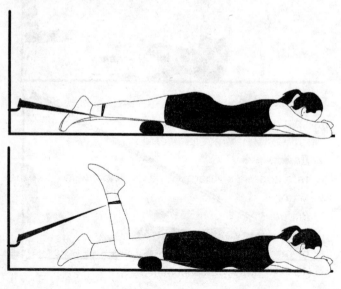

Упражнение № 11

Ходьба на четвереньках, максимально растягивая шаг (на руках перчатки, на коленях — наколенники), в течение 5—20 минут.

Упражнение № 12

И.П.: лежа на спине, руки вытянуты за голову и держатся за неподвижную опору. К нижней трети голени прикреплен резиновый амортизатор, закрепленный к противоположной стене (амортизатор натянут).

Действие:

тяга колена к животу с последующим выпрямлением ноги.

Варианты:

а) одной ногой;

б) тяга двумя ногами одновременно и поочередно (15—20 повторений).

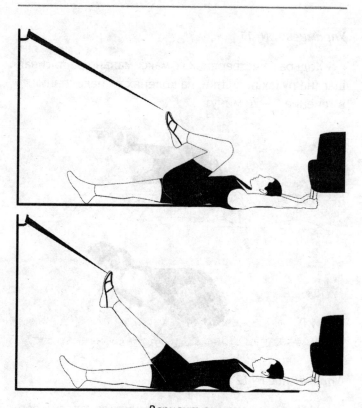

Вариант а

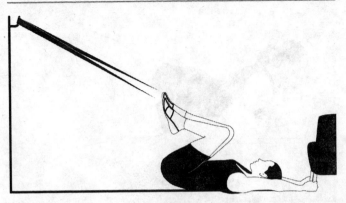

Вариант б

II ЭТАП
(3—4 недели после травмы)

Упражнение № 13

И.П.: лежа животом на высоком столе, держась руками за край стола, ноги опущены на пол, слегка согнуты в коленных суставах.

Варианты:

а) подъем одной ноги максимально вверх (сначала согнутой в коленном суставе, затем прямой);

б) подъем двух ног одновременно (10—20 повторений).

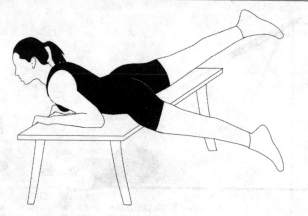

Вариант а

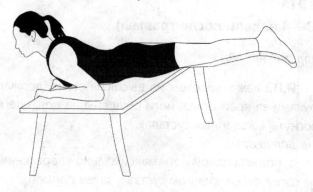

Вариант б

Упражнение № 14

И.П.: стоя на четвереньках (ногами к стене).
Действие:
тяга ногой с зафиксированным на нижней трети голени резиновым амортизатором, закрепленным в верхней части стены, поочередно. Выполнить 15—20 повторений.

Упражнение № 15

И.П.: лежа на животе, руки согнуты в локтях с упором ладонями в пол.

Варианты:

а) отжимания, колени на полу, спина прямая. 10—20 повторений;

б) классические отжимания.

Вариант а

Вариант б

УПРАЖНЕНИЕ № 16

И.П.: лежа на спине (посередине комнаты). Одновременная тяга руками и ногами зафиксированных к противоположным стенам амортизаторов. Выполнить 10—20 повторений.

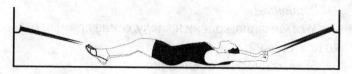

III ЭТАП
(через месяц)

Упражнение № 17

И.П.: вис на перекладине.
Действие:
поднимание коленей к животу (3—10 повторений).
Внимание: подниматься для виса на турнике с помощью небольшой лестницы. Спускаться так же. Не спрыгивать!

Сергей **БУБНОВСКИЙ**

Упражнение № 18

И.П.: стоя, держась руками за спинку стула, ноги на ширине плеч.
Действие:
выполнение приседаний.
Разгибание ног (подъем) на выдохе «ха-а». 10—20 повторений.

Упражнение № 19

И.П.: стоя в дверном проеме, ноги на ширине плеч.

Действие:

ноги упираются в основание дверного проема. Медленно, на выдохе, руки перемещаются вниз, таз опускается назад. Руки, ноги прямые. Растягивание мышц ног и спины. В обратной последовательности выпрямить туловище.

Упражнение № 20

И.П.: в висе на турнике. «Полусклепка».

Действие:

подъем ног (можно согнутых в коленях) до касания перекладины и опускания. Выполнить 3—10 повторений.

Внимание: ноги резко не опускать!

КОММЕНТАРИИ:

1. Все упражнения заканчивать холодным душем (ванной) на 5—10 секунд.

2. Втирание специального геля в область травмы после выполнения упражнений допускается.

3. Не прыгать, не бегать, не скручивать позвоночник в первые три месяца.

4. После уверенного выполнения 20 упражнений — переход в тренажерный зал к тренажеру МТБ-I—IV.

Внимание: имеются противопоказания! Желательно составление программы специалистом современной кинезитерапии (по системе С. М. Бубновского).

ФОРМУЛА ЗДОРОВЬЯ

ЗДОРОВЬЕ — это:

* Самодисциплина, желание не стареть из-за лени.
* Ощущение управления своим телом, самосовершенствование в делах, профессии, отсутствие застоя и пресыщения в мыслях.
* Желание познания мира, природы, знаний.
* Труд, последовательность в делах, уверенность в правоте своих поступков. Выполнение своих обязательств и ответственность за произносимые слова.
* Дела, дела, дела. Забота о мире, о здоровье детей и вера в Бога.
* Омоложение, обновление соединительной ткани день за днем, в результате прилива свежей крови благодаря упражнениям — правильным, понимаемым и разумным.
* Движение, желание встать и идти, и главное — быть уверенным, что дойдешь, сделаешь и получишь удовольствие от результата.
* Молодость или функциональное состояние организма, позволяющее с каждым прожитым годом накапливать терпение, силовую выносливость, умение справляться с отрицательными эмоциями без применения искусственных допингов, транквилизаторов, алкоголя и курения.

АЛГОРИТМ БОЛЕЗНИ

● Страшна не болезнь, а осложнения, связанные с побочным действием неумеренного применения лекарственных препаратов, остающихся в организме и проявляющих себя в самое неожиданное время.

● Страшна длительной и даже не очень длительной иммобилизацией, лежанием в кровати, покоем под толстым одеялом и возникающей в связи с этим депрессией, ипохондрией и неверием в силы своего организма.

● Страшна и опасна длительным нахождением среди больных, опекой безразличных медсестер, больничным питанием и тягостной обстановкой в палате.

● Не выводимая, а сохраняемая лекарствами, ведет к преждевременному старению, биологическому, а не паспортному.

● Это функциональная трансформация соединительной ткани в сторону снижения механизмов обновления.

● Это нарастающая атрофия мышц тела и структур мозга, разрыв связи ЦНС и периферии тела, паркинсонизм, слабоумие и долгая, мучительная жизнь.

Глава 14

РЕАБИЛИТАЦИЯ: КАКАЯ ОНА ЕСТЬ И КАКОЙ ОНА ДОЛЖНА БЫТЬ

> «Вероятно, величайшая потребность нашего века — правильное знание физиологии нашего организма и законов, управляющих жизнью, здоровьем и болезнью. Прискорбно, что люди умирают от нарушения простых законов, когда даже элементарное знание не только помешало бы им стать пищей для земляных червей, но сделало бы всю жизнь прекрасной и содержательной».
>
> *Герберт Шелтон*

В настоящее время возрос интерес к медицинской реабилитации людей, получивших травмы различного происхождения, перенесших органические заболевания различного генеза или перенесших операции, ориентированные на ремоделирование функций органов, сосудов и суставов костно-мышечной системы.

Но как показывает практика, четких правил и принципов, требующих принципиально нового подхода к медицинской реабилитации человека, получившего увечья, травмы или перенесшего операции на органах и суставах (и на позвоночнике в том числе) до сих пор не выработано. Каждый медицинский центр или клиника используют только тот арсенал средств, которым располагают, и только те методики реабилитации, которые давно существуют, видоизменяя только техническую составляющую. Например, вместо веревочных блоков на кроватях используют дорогостоящие тренажеры, моделирующие движения в суставах, но не способные ремоделировать функцию движения, заключающуюся в управлении движением через ЦНС, то есть функцию управления и рекрутирования скелетной мускулатуры организмом без ортопедических корректоров.

В подавляющем числе случаев для этих целей используются методы аппаратной физиотерапии, ЛФК, бальнеотерапии или спа-терапии, механотерапии на тренажерах с пассивным подключением функций, а также различные формы хиропрактики — от массажа до иглотерапии, от гирудотерапии до апитерапии и некоторые другие. В этих методах главным действующим фактором реабилитации выступает не больной и не его сознательные активные действия (даже в ЛФК, направленной на работу без преодоления болевой доминанты), а индивидуальные способности специалиста, предоставляющего свои услуги (массаж, мануальную терапию, иглотерапию), паллиативные возможности физиотерапевтических процедур и автоматическое управление туловищем с помощью различных аппаратов, приборов и тренажеров, не требующее волевого участия самого пациента и сознательного восстановления утраченных функций.

В Европе основу реабилитации составляет механотерапия, в которой используются активные методики по типу бобаттерапии, войттерапии. Применяется масса различных тренажеров для различных групп мышц, с компьютерным управлением и без. Там существует большое количество игровых форм реабилитации и обязательно используется робототехника типа ЛОКОМАТ, ДЖЕО и т. п., а также различные физиотерапевтические процедуры стимулирующего характера — от чрескожной электромиостимуляции до различных магнитных стимуляторов мотонейронов головного мозга.

Пациенты с позвоночно-спинномозговой травмой обязательно работают на подвесных системах «Редкорд» и других. Также используются различные подъемники и вертикализаторы, облегчающие труд реабилитологов. В процессе реабилитации применяют различные пневмокостюмы — АДЕЛИ, АТЛАНТЫ, экзоскелеты и другие механизмы. Пациенты обязательно занимаются и в бассейне, причем в бассейне, оборудованном подъемниками. Применяются также бассейны с опускающимся дном.

Альтернативным подходом к решению названных выше задач является методика современной кинезитерапии, которая принципиально отличается от ранее существующей модели (методики кинезитерапии), где активным началом выступали различные достаточно примитивные тренажеры, которые использовались на кровати больного (они используются и в настоящее время), в палате (крайне редко) и в некоторых залах ЛФК крупных клиник и больниц. При этом в качестве обязательных дополнительных методов не использовалось обучение больного преодолению болевой доминанты без НПВС (главное ноу-хау современного метода) и управлению дыхательной мускулатурой с целью снижения внутричерепного, внутрибрюшного и внутригрудного давления при выполнении силовых и стретчинговых упражнений, необходимых для полноценной медицинской реабилитации, а также методы сауна-терапии по правилам «русской бани» с применением криопроцедур в качестве необходимых и обязательных.

> В общепринятой медицине четких правил медицинской реабилитации человека, получившего увечья, травмы или перенесшего операции на органах, суставах или позвоночнике, до сих пор не выработано. Каждый медицинский центр или клиника используют только тот арсенал средств, которым располагают, и только те методики реабилитации, которые давно существуют.

В Европе подход к реабилитации спинальных больных совершенно другой. Там пациентов-инвалидов готовят к жизни на коляске, то есть проводится социальная адаптация к жизни в коляске. Там с каждым пациентом много работает психолог и эрготерапевт, а в реабилитационных центрах устраиваются различные соревнования и праздники. Постепенно пациенты привыкают к мысли о том, что они тоже являются частью социума, в котором они передвигаются на колясках. Там вся среда доступна (адаптирована для «колясочников») — улицы, подъезды домов и квартиры. И у них нет мотивированного желания встать и ходить, более того — это становится им материально невыгодно. У таких пациентов есть специальная медицинская страховка, они получают большую пенсию, а их родственники-опекуны получают значимую социальную помощь.

Инвалидам-колясочникам за счет государства производят переоборудование частных домов, их переселяют в удобные районы, они получают бесплатный автотранспорт или материальную помощь на переоборудование и обслуживание своего автомобиля.

Можно отметить, что существует такое понятие, как **мультидисциплинарная бригада по работе со спинальными больными**. В нее входят:

1. Ведущий врач и координатор — врач-невролог

2. Врач — ортопед-травматолог

3. Терапевт-кардиолог

4. Уролог (так как у всех пациентов имеются расстройства тазовых органов)

5. Врач ЛФК и спортивной медицины

6. Врач-физиотерапевт

7. Инструктор — методист ЛФК

8. Эрготерапевт — специалист по социальной и бытовой реабилитации больных

9. Медицинская сестра

10. Клинический психолог
11. Массажист
12. Физиотерапевтическая сестра
13. Иглорефлексотерапевт

> **Главная задача реабилитации — восстановление достаточной работоспособности.**

В Канаде и США такая бригада должна работать по мировым стандартам с каждым пациентом с выраженным нарушением двигательной активности. В настоящее время такие бригады действительно есть в крупных специализированных реабилитационных центрах России, Европы, Израиля, Канады и США.

В Израиле реабилитация спинальных больных начинается довольно рано. Операции проводят в одной клинике хирургического профиля, а через 5—7 дней (после снятия швов) пациента переводят в специализированный реабилитационный центр. Там с пациентом работает психолог и проводятся дополнительные обследования — от электромиографии до доскональных шкал и диаграмм, определяющих полную картину функциональной активности пациента. Документации много, шкалы и диаграммы заполняются ежедневно, но процедур, к сожалению, мало: строго 45 минут ЛФК, строго 20 минут массаж, а также некоторые виды механотерапии и некоторые виды физиотерапевтических процедур. В Израиле пациентов доводят до возможности ходить в ортезах и туторах на ходунках или костылях под локоть — «канатках», и на этом реабилитация заканчивается.

Без ортезов, корсетов и туторов пациенты передвигаться боятся.

Хочется отметить, что в США и Канаде ранней реабилитации спинальных больных и пациентов с черепно-мозговыми травмами уделяется максимальное внимание: реабилитолог приходит в реанимационное отделение сразу после выхода пациента из наркоза, даже если стоит трахеостома. В реанимационном отделении пациента с трахеостомой и с подключенными проводами и системами мониторинга начинают вертикализировать прямо в кровати. У каждой кровати есть пульт, и реабилитолог начинает поднимать кровать и регулировать угол наклона, доводя до полной вертикализации в 90 градусов. Такое раннее начало реабилитации в последующем дает положительный эффект и хорошую положительную динамику.

В Китае, Таиланде и Индии для реабилитации таких пациентов применяется в основном восточная медицина. С точки зрения европейца она кажется довольно примитивной, но тем не менее является достаточно эффективной. Там используются различные виды массажа: аюрведический, точечный, биоэнергетический и т. д. Используются различные виды рефлексотерапии — иглоукалывание, прижигания, моксотерапия, су-джок и другое. Используется гимнастика цигун, элементы ушу. Все это приносит результаты: восстанавливаются импульсы, пробуждается тело, начинает восстанавливаться работа мышц. Таким образом, выполняется задача реабилитации — восстановление достаточной трудоспособности.

РЕАБИЛИТАЦИЯ ПОСЛЕ СПИНАЛЬНЫХ ТРАВМ

Когда бы ни были начаты реабилитационные мероприятия, они уже запоздали. Если человек получил спинальную травму, то для него значим каждый день. Как правило, на ранних сроках лечения врачи рекомендуют пациенту лежать неподвижно, но сроки для этого называются разные. К сожалению, за это время в суставах появляются контрактуры и анкилозы, мышцы и связки укорачиваются, и реабилитация становится и дольше, и тяжелее как для пациента, так и для реабилитолога.

Спинальная травма — это травма и позвоночника, и спинного мозга, поэтому пациент должен начинать реабилитацию сразу же после выхода из наркоза.

При ранней реабилитации рекомендована дыхательная гимнастика и пассивные движения. Но врачи часто назначают магнитотерапию, барокамеру, электрофорезы с различными медикаментами или электромиостимуляцию, при этом совершенно не думая о том, что организм испытал спинальный шок и головной мозг заблокировал проведение импульсов к парализованным мышцам и телу. После операции к пациенту приходит нейрохирург или хирург-травматолог проверить сухожильные рефлексы, которые, как правило, отсутствуют. Врач просит пациента выполнить движение пальцами ног, а «шейников» — и пальцами рук. После травмы, оперативного вмешательства или установки металлических конструкций в организме в 90% случаев происходят регрессивные процессы, в результате которых страдают все виды чувствительности, а также страдает кровоснабжение, особенно в дистальных отделах конечностей. По этой причине движения пальцев ног и рук у больного однозначно не получаются, после чего врач рассказывает пациенту о том, что он никогда не встанет, что ему надо привыкать лежать в кровати, и в лучшем случае он когда-нибудь сможет передвигаться на коляске. Не каждый человек может выдержать такой приговор. Не каждый супруг или супруга захотят посвятить свою жизнь уходу за парализованным родственником. Это большая психологическая травма: такой приговор блокирует волю пациента и убивает у него желание жить и восстанавливаться, что совершенно недопустимо в его ситуации.

У врачей и реабилитологов существует мнение, что мозг вспомнит движение — для этого надо лежа с закрытыми глазами заставлять свои мышцы напрягаться. У пациентов лежа проходят многие дни, месяцы, годы...

В СНГ и Европе большое внимание уделяется также робототехнике по типу ЛОКОМАТ или ДЖЕО. Пациента вынимают из постели, вставляют в ЛОКОМАТ, который теоретически должен восстановить мышечную память и стереотип ходьбы. Но пациент болтается в этом ЛОКОМАТе, а функция ходьбы у него не восстанавливается.

Я утверждаю, что при спинальной травме функция ходьбы в головном мозге, к сожалению, стирается. Мы постоянно проводим обследование всех наших пациентов, которые начали у нас ходить самостоятельно в различные сроки после различных видов травм. Мы делали электромиографию обычную и игольчатую. Эти исследования проводила врач, которая уже 20 лет занимается только ЭМГ. Мы увидели, что у ходячих больных кортикоспинальный путь не восстановлен: показатели проведения импульсов по кортикоспинальным путям — нули. Мы провели очень много исследований ЭМГ, но такие данные повторялись у каждого нашего пациента примерно до 6—8 месяцев после начала ходьбы. О чем это говорит? Это говорит о том, что формируются новые спиноспинальные пути — коллатеральные, запасные, которые берут на себя функцию формирования двигательной активности. Это опровергает догмы неврологии. Исследования продолжаются, и когда мы выявим это у тысячи пациентов, можно будет говорить о настоящем открытии в неврологии.

> **При спинальной травме пациент должен начинать реабилитацию сразу же после выхода из наркоза. В этом случае при ранней реабилитации рекомендована дыхательная гимнастика и пассивные движения.**

Я хочу остановиться на всевозможных средствах реабилитации, которыми увлекаются пациенты со спинальными травмами и которые мы категорически не применяем. К ним относятся:

1. Ортезы, туторы, корсеты.
2. Специальные кресла и подъемники.
3. Параподиумы, имитроны, вертикализаторы.
4. Робототехника по типу ЛОКОМАТ и ДЖЕО.

5. Экзоскелеты.

6. Чипы стимулирующие, обезболивающие, баклофеновые и морфиновые помпы.

7. Стволовые клетки (внутривенно, подкожно или эндолюмбально).

8. Ревитализация — введение различных веществ (яичный белок, горячее молоко, озонотерапия по точкам и паравертебрально, медикаментозные препараты паравертебрально, гирудотерапия).

9. Иппотерапия, дельфинотерапия, а сейчас еще придумали и канистерапию — лечение собаками.

Современная кинезитерапия, применяемая в России, Казахстане и Беларуси для медицинской реабилитации лиц, перенесших различного рода травмы и операции, содержит следующую концепцию:

1) Главным действующим фактором восстановления здоровья, физической реабилитации и функционального ремоделирования после травм, операций на различных органах и системах является сам пациент (больной, пострадавший). Только при активизации волевого начала самого пациента возможно применение методов и средств, способствующих восстановлению (даже частичному — при потере органа) его систем, суставов и частично органов.

2) Основным принципом применения указанных ниже методов является принцип последовательности и постепенности: от простого к сложному, от легкого к тяжелому.

3) В качестве основного технического средства для вышеуказанных целей используется МТБ I—IV (многофункциональный тренажер Бубновского, полезная модель № 23052 от Российского агентства по патентам и товарным знакам) и его разновидности. Данный тренажер создан на основе современных технологий, и он обладает рядом свойств, незаменимых для целей медицинской реабилитации и функционального ремоделирования функций движения.

Основными динамическими характеристиками данного тренажера являются следующие:

● декомпрессионное действие на суставные поверхности и позвоночный столб, позволяющее осуществлять движения из разных исходных положений при поврежденных, имплантированных или подвергшихся дегенеративным поражениям суставах, в том числе и на позвоночнике в остром, подостром и запущенном по времени от начала повреждения периодах;

● антигравитационное действие, позволяющее при выполнении любых силовых и стретчинговых движений улучшать систему кровообращения (прежде всего венозного) и микроциркуляцию, а значит, снимать неадекватную нагрузку с сердечной мышцы и, следовательно, обеспечивать возможность пациентам с сопутствующими заболеваниями сердечно-сосудистой системы, а также после операций на сосудах (стентирование, АКШ и других) выполнять упражнения, входящие в методику физической реабилитации;

● шкала отягощений на тренажере моделируется от минимального (2,5—5 кг) до субмаксимальных (60—80 кг) при различной (удобной) трансформации размеров тренажера;

● в качестве основного лечебного фактора в современной кинезитерапии используется скелетная мускулатура.

БОЛЕЗНЬ КАК ДИСТРОФИЯ

Применение МТБ I—IV как основного технического средства для целей физической реабилитации основано на патоморфологических изменениях, происходящих в организме человека при неиспользовании скелетной мускулатуры. Данный феномен (неиспользование скелетной мускулатуры) приводит к дистрофическим изменениям и последующему выключению функций в зоне неиспользования, так как кровеносные сосуды и капиллярная сеть (в том числе и лимфатические сосуды) проходят между мышечными волокнами параллельно им в составе соединительнотканных прослоек, поэтому даже непродолжительное выключение насосного действия мышечной системы приводит к нарушению трофики тканей и саморегуляции организма, т. е. метаболизма.

При неиспользовании скелетной мускулатуры развиваются дегенеративные и необратимые явления в соединительных тканях сосудов, хрящей и костей (рубцово-спаечные изменения). Это приводит к развитию дегенеративных и ишемических явлений костно-мышечной системы и сердечно-сосудистой системы, а в дальнейшем — к тяжелым прогнозам в вопросах самообслуживания.

НЕВРОПАТОЛОГИ ЗАБЫЛИ ПРО МЫШЦЫ...

Известно, что неиспользование скелетной мускулатуры приводит к ухудшению состояния органов и систем. Поэтому активизация действий самого пациента и рекрутирование его мышечной системы на волевом уровне помогает быстро возвращать последнему веру в свои собственные силы, что является одним из основных факторов успеха медицинской реабилитации. Все поперечнополосатые мышцы содержат инкапсулированные проприорецепторы — так называемые мышечные веретена, в которые проникают чувствительные нервные волокна, воспринимающие изменение длины (натяжение) и подающие болевой сигнал. То есть это является реакцией в ответ на активизацию насосной функции скелетной мускулатуры.

В свою очередь, нервные волокна передают эту информацию в спинной мозг, в котором и формируются рефлексы различной сложности (хождение, регуляция мышц-антагонистов). В сухожилиях, около участков вхождения мышечных волокон (мышечно-сухожильных соединений) сухожильные органы Гольджи (проприорецепция) регулируют объем усилий, необходимых для выполнения движений при различных мышечных усилиях. Таким образом, при поражении нервно-мышечных путей при травме, операции или болезни активным (волевым) усилием включается обратная связь, и это способствует восстановлению процессов саморегуляции и нервно-мышечных соединений.

Одно нервное волокно (аксон) может иннервировать несколько мышечных волокон (двигательных, моторных единиц — ДЕ). В крупных мышцах (например, конечностей) один аксон иннервирует до 100 отдельных мышечных волокон. Но в настоящее время при травмах позвоночника и компрессионных переломах используются хирургические способы реабилитации с простой депривацией мышц, внедрением стабилизирующих имплантов на позвоночно-двигательные сегменты и ряд других способов дезактивации глубоких мышц позвоночника (например, при сколиозах у детей), которые приводят к атрофии волокон и параличу нижних конечностей в ранние сроки после травмы или операции.

> **При неиспользовании скелетной мускулатуры развиваются дегенеративные и необратимые явления в соединительных тканях сосудов, хрящей и костей, которые приводят к развитию дегенеративных и ишемических явлений костно-мышечной системы и сердечно-сосудистой системы, а в дальнейшем — к тяжелым прогнозам в вопросах самообслуживания.**

Итак, подведем итог.

Недооценка восстановительной и пластической функции скелетной мускулатуры, ее неиспользование или некорректное (пассивное) использование приводит к тяжелым, а порой и необратимым изменениям в организме. На этом фоне правильное и полноценное использование методов современной кинезитерапии приводит к желаемым для пациента результатам — восстановлению двигательных функций и возможности компенсации или субкомпенсации утраченных функций. Это происходит за счет применения принципов физической реабилитации, основанной на волевом участии самого пациента в процессе восстановления. В этом случае проводится обучение пациента приемам дыхательной релаксации, а в процессе реабилитации используются современные тренажеры декомпрессионного и антигравитационного действия. В дальнейшем, на этапе долечивания после стационара, начинают применяться силовые тренажеры императивного локального и узколокального действия, которые есть в любом тренажерном зале. Кроме этого в реабилитационном процессе обязательно применяются вспомогательные средства из разряда естественной физиотерапии: сауна-терапия, криотерапия, пантотерапия, различные формы массажа и спа-процедуры.

Чем больше мы работаем с неходящими пациентами, тем больше реабилитационных приемов для более качественного и быстрого восстановления подсказывает нам организм человека. Травмы не бывают одинаковыми, поэтому нужно смотреть на проблемы неходячих пациентов с точки зрения кинезитерапевта, работающего не столько с локальной проблемой (например, неспособностью встать и пойти именно сегодня), а прежде всего со всем организмом пациента в целом. Подходя к проблеме с этой точки зрения, в первые дни реабилитации мы стали уделять огромное внимание упражнениям, направленным на управление дыхательными мышцами (далее об этом и напоминать не обязательно: все делают правильно).

Мы также ушли от статических исходных положений, заменив их в большей мере на динамические, с подвижной опорой. В таком случае быстрее включается мозжечковая (координационная) регуляция движений и улучшается управление мышцами. Мы активно включаем в программу силовые тренажеры из основного зала. Это, помимо прочего, способствует мобилизации пациентов, проходящих кинезитерапию при болях в спине. Мы меняем ритмы, серии, акценты, и такое разнообразие всегда плодотворно действует на психологическую уверенность пациентов.

Заключение

Подводя итог сказанному выше, мне остается пожелать тем медицинским центрам, больницам и санаториям, в которых есть отделения медицинской реабилитации пациентов после операций и травм, организовать в своих корпусах отделение современной кинезитерапии по методу С. М. Бубновского. Это поможет более эффективно решать основную проблему пациентов, с которой постоянно сталкиваются врачи клиники (и которая зачастую хорошо оплачивается), — устранение болевой доминанты без лекарств и восстановление достаточной трудоспособности.

Приложение 1

АНАЛИТИЧЕСКАЯ ЗАПИСКА ПО РЕАБИЛИТАЦИИ ИНВАЛИДОВ В РОССИИ

По данным Росстата, за 2016 год в России насчитывается 12 млн 924 тыс. инвалидов. Специалисты выяснили также и количество инвалидов в процентах от общей численности населения региона. В рейтинг вошел 51 регион России с населением свыше 1 млн человек.

В первую пятерку регионов, в которых зарегистрировано наибольшее число инвалидов, вошли Белгородская область (16,2% от общего числа населения), Санкт-Петербург (15,9%), Рязанская область (13,5%), Москва (12,9%) и Чеченская Республика (12,8%).

По данным Росстата, наибольшее количество инвалидов проживает в Москве — в столице их зарегистрировано 1 млн 592 тыс. человек. Самый низкий процент инвалидности зафиксирован в Ханты-Мансийском автономном округе — 3,5%. Там из 1 млн 625 тыс. населения инвалиды составляют 57 тыс. человек.

В Тюменской и Астраханской областях зарегистрировано соответственно по 5% и 5,4% инвалидов.

По 5,9% инвалидов проживает в Республике Крым и Томской области. Уровень инвалидности «ниже среднего» зарегистрирован также в Саратовской и Челябинской областях, Приморском, Хабаровском и Красноярском краях.

По данным Росстата, на 1 января 2017 года в России насчитывалось 12 млн 751 тыс. инвалидов — это 9% населения страны. 65% российских инвалидов старше трудоспособного возраста, 30% — это люди трудоспособного возраста, 5% — дети. 57% инвалидов — женщины.

В России существует три категории инвалидности. Инвалидность I группы присваивается в том случае, если человек не способен к самообслуживанию и полностью зависит от других лиц, не может самостоятельно ориентироваться в пространстве, передвигаться или контролировать свое поведение. Такие пациенты составляют 10% от общего числа инвалидов в России.

49% лиц с ограниченными возможностями в РФ присвоена II категория инвалидности. Она подразумевает, что человек может перемещаться и ориентироваться в пространстве только при помощи вспомогательных средств или других лиц.

К инвалидам III группы относятся те, кто способен передвигаться, ориентироваться в пространстве и взаимодействовать с окружающими либо при помощи других людей, либо затрачивая больше времени, чем на аналогичные действия требуется лицам без инвалидности. Инвалиды этой категории составляют 36% от общего числа инвалидов. Остальные 5% инвалидов составляют дети до 18 лет — таких детей-инвалидов выделяют в отдельную категорию.

В ГОСУЧРЕЖДЕНИИ — ЗА ПЛАТУ, В ЧАСТНОМ ЦЕНТРЕ — ПО КВОТЕ

Восстановительное лечение пациентов-«спинальников» проводится в медицинских центрах и в санаториях. На федеральном уровне медицинская реабилитация развита очень слабо — только в отдельных субъектах есть сильные реабилитационные учреждения с развитой материально-технической базой и стойким штатом сотрудников высокого уровня. К таким «сильным» субъектам относятся Татарстан, Москва, Санкт-Петербург, Новосибирск.

Для госпитализации в реабилитационное медицинское учреждение пациенту необходимо сделать следующее:

— получить в территориальном ЦСО направление на реабилитационно-экспертный консилиум в выбранный центр реабилитации;

— собрать ряд документов и пройти консилиум;

— получить в ЦСО сертификат на реабилитацию;

— согласовать сертификат и собранные документы в департаменте социальной защиты, после чего клиника назначит дату госпитализации.

Точная стоимость лечения в этих учреждениях на платной основе становится известна только после консультации с врачом. Но даже если пациента госпитализировали бесплатно, в государственном центре реабилитации скорее всего придется нанимать сиделку и оплачивать некоторые дополнительные услуги.

В частном секторе все происходит иначе. Российские частные реабилитационные центры — это еще и больница, в то время как в госструктурах под реабилитацией долгое время понимали что-то вроде санатория, когда пациент сам себя обслуживает. В настоящее время частные клиники (по крайней мере в Москве) успешно конкурируют с государственными за квоты: общая сумма договоров департамента соцзащиты города с коммерческими реабилитационными центрами составляет ежегодно более 200 млн рублей.

В регионах есть свои реабилитационные центры, где принимают пациентов по тем же правилам, что и в Москве.

Через год после повреждения спинного мозга пациент может рассчитывать на санаторно-курортное лечение. Оно является частью программы реабилитации, и его задача — вернуть человеку со стойкими нарушениями психофизиологических функций ощущение самодостаточности и приспособить его к относительно независимой жизни. Санаторно-курортное лечение входит в федеральный перечень услуг, предоставляемых инвалиду бесплатно. Государство обязуется оплачивать даже проезд пациента к месту реабилитации и обратно, а если речь идет об инвалиде I группы, то путевку и билеты дают не только самому пациенту, но и сопровождающему его лицу.

Но у такой санаторно-курортной реабилитации есть одна особенность: такие учреждения не принимают пациентов-«спинальников» без сопровождения!!!

И еще: из-за больших очередей пациент с повреждением спинного мозга реально может получить свою путевку в санаторий (на 24 или на 42 дня) не чаще чем один раз в три года!!!

Чтобы получить путевку в санаторий, нужно сделать следующее:

— Написать заявление на получение социальных услуг в территориальный отдел Пенсионного фонда РФ.

— Обратиться в лечебно-профилактическое учреждение по месту жительства и получить там справку по форме № 070/у для получения путевки.

— Написать заявление на предоставление санаторно-курортной путевки в территориальный орган Фонда социального страхования или социальной защиты (не позднее 1 декабря текущего года, чтобы получить путевку на следующий год).

— Получить путевку (ее должны выдать не позднее чем за 21 день до даты заезда).

— Получить санаторно-курортную карту в том же учреждении, которое выдало справку для получения путевки.

— Получить талон на проезд к месту лечения и обратно.

— По окончании лечения необходимо возвратить в территориальное отделение ФСС отрывной талон путевки.

— После возвращения из санатория предоставить обратный талон санаторно-курортной карты в то лечебное учреждение, которое ее выдало.

Российские санатории, где лечат «спинальников», могут принять на реабилитацию около 5000 пациентов в год, между тем ежегодно инвалидами становятся более 8000 человек с повреждением спинного мозга.

Рассчитывая стоимость реабилитации, нужно учитывать, что покупать придется не одну путевку, а две: в санатории не принимают «спинальников» без сопровождающих!!! При этом стоимость пребывания сопровождающего будет ниже, чем стоимость пребывания пациента, поскольку ему не требуется лечение.

Приложение 2

КЛАССИФИКАЦИИ И КРИТЕРИИ, ИСПОЛЬЗУЕМЫЕ ПРИ ОСУЩЕСТВЛЕНИИ МЕДИКО-СОЦИАЛЬНОЙ ЭКСПЕРТИЗЫ ГРАЖДАН ФЕДЕРАЛЬНЫМИ ГОСУДАРСТВЕННЫМИ УЧРЕЖДЕНИЯМИ МЕДИКО-СОЦИАЛЬНОЙ ЭКСПЕРТИЗЫ

(утверждены приказом Министерства труда и социальной защиты Российской Федерации от 17 декабря 2015 года № 1024н, с изменениями на 5 июля 2016 года)

I. ОБЩИЕ ПОЛОЖЕНИЯ

1. Классификации, используемые при осуществлении медико-социальной экспертизы граждан федеральными государственными учреждениями медико-социальной экспертизы, определяют основные виды стойких расстройств функций организма человека, обусловленных заболеваниями, последствиями травм или дефектами, и степени их выраженности, а также основные категории жизнедеятельности человека и степени выраженности ограничений этих категорий.

2. Критерии, используемые при осуществлении медико-социальной экспертизы граждан федеральными государственными учреждениями медико-социальной экспертизы, определяют основания установления групп инвалидности (категории «ребенок-инвалид»).

II. КЛАССИФИКАЦИИ ОСНОВНЫХ ВИДОВ СТОЙКИХ РАССТРОЙСТВ ФУНКЦИЙ ОРГАНИЗМА ЧЕЛОВЕКА И СТЕПЕНИ ИХ ВЫРАЖЕННОСТИ

3. К основным видам стойких расстройств функций организма человека относятся:
● нарушения психических функций (сознания, ориентации, интеллекта, личностных особенностей, волевых и побудительных функций, внимания, памяти, психомоторных функций, эмоций, восприятия, мышления, познавательных функций высокого уровня, умственных функций речи, последовательных сложных движений);
● нарушения языковых и речевых функций (устной (ринолалия, дизартрия, заикание, алалия, афазия); письменной (дисграфия, дислексия), вербальной и невербальной речи; нарушение голосообразования);
● нарушения сенсорных функций (зрения; слуха; обоняния; осязания; тактильной, болевой, температурной, вибрационной и других видов чувствительности; вестибулярной функции);

* нарушения нейромышечных, скелетных и связанных с движением (статодинамических) функций (движения головы, туловища, конечностей, в том числе костей, суставов, мышц; статики, координации движений);
* нарушения функций сердечно-сосудистой системы, дыхательной системы, пищеварительной, эндокринной систем и метаболизма, системы крови и иммунной системы, мочевыделительной функции, функции кожи и связанных с ней систем;
* нарушения, обусловленные физическим внешним уродством (деформации лица, головы, туловища, конечностей, приводящие к внешнему уродству; аномальные отверстия пищеварительного, мочевыделительного, дыхательного трактов; нарушение размеров тела).

4. Степень выраженности стойких нарушений функций организма человека, обусловленных заболеваниями, последствиями травм или дефектами, оценивается в процентах и устанавливается в диапазоне от 10 до 100, с шагом в 10 процентов.

Выделяются 4 степени выраженности стойких нарушений функций организма человека:

I степень — стойкие незначительные нарушения функций организма человека, обусловленные заболеваниями, последствиями травм или дефектами, в диапазоне от 10 до 30 процентов;

II степень — стойкие умеренные нарушения функций организма человека, обусловленные заболеваниями, последствиями травм или дефектами, в диапазоне от 40 до 60 процентов;

III степень — стойкие выраженные нарушения функций организма человека, обусловленные заболеваниями, последствиями травм или дефектами, в диапазоне от 70 до 80 процентов;

IV степень — стойкие значительно выраженные нарушения функций организма человека, обусловленные заболеваниями, последствиями травм или дефектами, в диапазоне от 90 до 100 процентов.

Степень выраженности стойких нарушений функций организма человека, обусловленных заболеваниями, последствиями травм или дефектами, устанавливается в соответствии с количественной системой оценки, предусмотренной приложением к настоящим классификациям и критериям.

Если приложением к настоящим классификациям и критериям не предусмотрена количественная оценка степени выраженности стойких нарушений той или иной функции организма человека, обусловленных заболеваниями, последствиями травм или дефектами, имеющимися у освидетельствуемого лица, то степень выраженности стойких нарушений функций организма человека в процентном выражении устанавливается федеральным государственным учреждением медико-социальной экспертизы в соответствии с абзацами третьим — шестым настоящего пункта исходя из клинико-функциональной характеристики заболеваний, последствий травм или дефектов, обусловивших вышеуказанные нарушения, характера и тяжести осложнений, стадии, течения и прогноза патологического процесса.

При наличии нескольких стойких нарушений функций организма человека, обусловленных заболеваниями, последствиями травм или дефектами, отдельно оценивается и устанавливается степень выраженности каждого из таких нарушений в процентах. Сначала устанавливается максимально выраженное в процентах нарушение той или иной функции организма человека, после чего определяется наличие (отсутствие) влияния всех других имеющихся стойких нарушений функций организма человека на максимально выраженное нарушение функции организма человека. При наличии указанного влияния суммарная оценка степени нарушения функции организма человека в процентном выражении может быть выше максимально выраженного нарушения функций организма, но не более чем на 10 процентов.

III. КЛАССИФИКАЦИИ ОСНОВНЫХ КАТЕГОРИЙ ЖИЗНЕДЕЯТЕЛЬНОСТИ ЧЕЛОВЕКА И СТЕПЕНИ ВЫРАЖЕННОСТИ ОГРАНИЧЕНИЙ ЭТИХ КАТЕГОРИЙ

5. К основным категориям жизнедеятельности человека относятся:

а) способность к самообслуживанию;

б) способность к самостоятельному передвижению;

в) способность к ориентации;

г) способность к общению;

д) способность контролировать свое поведение;

е) способность к обучению;

ж) способность к трудовой деятельности.

6. Выделяются 3 степени выраженности ограничений каждой из основных категорий жизнедеятельности человека:

а) способность к самообслуживанию — способность человека самостоятельно осуществлять основные физиологические потребности, выполнять повседневную бытовую деятельность, в том числе использовать навыки личной гигиены:

1-я степень — способность к самообслуживанию при более длительном затрачивании времени, дробности его выполнения, сокращении объема с использованием при необходимости вспомогательных технических средств;

2-я степень — способность к самообслуживанию с регулярной частичной помощью других лиц с использованием при необходимости вспомогательных технических средств;

3-я степень — неспособность к самообслуживанию, нуждаемость в постоянной посторонней помощи и уходе, полная зависимость от других лиц;

б) способность к самостоятельному передвижению — способность самостоятельно перемещаться в пространстве, сохранять равновесие тела при передвижении, в покое и при перемене положения тела, пользоваться общественным транспортом:

1-я степень — способность к самостоятельному

передвижению при более длительном затрачивании времени, дробности выполнения и сокращении расстояния с использованием при необходимости вспомогательных технических средств;

2-я степень — способность к самостоятельному передвижению с регулярной частичной помощью других лиц с использованием при необходимости вспомогательных технических средств;

3-я степень — неспособность к самостоятельному передвижению и нуждаемость в постоянной помощи других лиц;

в) способность к ориентации — способность к адекватному восприятию личности и окружающей обстановки, оценке ситуации, к определению времени и места нахождения:

1-я степень — способность к ориентации только в привычной ситуации самостоятельно и (или) с помощью вспомогательных технических средств;

2-я степень — способность к ориентации с регулярной частичной помощью других лиц с использованием при необходимости вспомогательных технических средств;

3-я степень — неспособность к ориентации (дезориентация) и нуждаемость в постоянной помощи и (или) надзоре других лиц;

г) способность к общению — способность к установлению контактов между людьми путем восприятия, переработки, хранения, воспроизведения и передачи информации:

1-я степень — способность к общению со снижением темпа и объема получения и передачи информации, использование при необходимости вспомогательных технических средств помощи, при изолированном поражении органа слуха — способность к общению с использованием невербальных способов общения и услуг по сурдопереводу;

2-я степень — способность к общению при регулярной частичной помощи других лиц с использованием при необходимости вспомогательных технических средств;

3-я степень — неспособность к общению и нуждаемость в постоянной помощи других лиц;

д) способность контролировать свое поведение — способность к осознанию себя и адекватному поведению с учетом социально-правовых и морально-этических норм:

1-я степень — периодически возникающее ограничение способности контролировать свое поведение в сложных жизненных ситуациях и (или) постоянное затруднение выполнения ролевых функций, затрагивающих отдельные сферы жизни, с возможностью частичной самокоррекции;

2-я степень — постоянное снижение критики к своему поведению и окружающей обстановке с возможностью частичной коррекции только при регулярной помощи других лиц;

3-я степень — неспособность контролировать свое поведение, невозможность его коррекции, нуждаемость в постоянной помощи (надзоре) других лиц;

е) способность к обучению — способность к целенаправленному процессу организации деятельности по овладению знаниями, умениями, навыками и компетенцией, приобретению опыта деятельности (в том числе профессионального, социального, культурного, бытового характера), развитию способностей, приобретению опыта применения знаний в повседневной жизни и формированию мотивации получения образования в течение всей жизни:

1-я степень — способность к обучению и получению образования в рамках федеральных государственных образовательных стандартов в организациях, осуществляющих образовательную деятельность, с созданием специальных условий (при необходимости) для получения образования обучающимися с ограниченными возможностями здоровья, в том числе обучение с применением (при необходимости) специальных технических средств обучения, определяемая с учетом заключения психолого-медико-педагогической комиссии;

2-я степень — способность к обучению и получению образования в рамках федеральных государственных образовательных стандартов в организациях, осуществляющих образовательную деятельность, с созданием специальных условий для получения образования только по адаптированным образовательным программам, при необходимости обучение на дому и/или с использованием дистанционных образовательных технологий с применением (при необходимости) специальных технических средств обучения, определяемая с учетом заключения психолого-медико-педагогической комиссии;

3-я степень — способность к обучению только элементарным навыкам и умениям (профессиональным, социальным, культурным, бытовым), в том числе правилам выполнения только элементарных целенаправленных действий в привычной бытовой сфере или ограниченные способности к такому обучению в связи с имеющимися значительно выраженными нарушениями функций организма, определяемые с учетом заключения психолого-медико-педагогической комиссии;

ж) способность к трудовой деятельности — способность осуществлять трудовую деятельность в соответствии с требованиями к содержанию, объему, качеству и условиям выполнения работы:

1-я степень — способность к выполнению трудовой деятельности в обычных условиях труда при снижении квалификации, тяжести, напряженности и (или) уменьшении объема работы, неспособность продолжать работу по основной профессии (должности, специальности) при сохранении возможности в обычных условиях труда выполнять трудовую деятельность более низкой квалификации;

2-я степень — способность к выполнению трудовой деятельности в специально созданных условиях с использованием вспомогательных технических средств;

3-я степень — способность к выполнению элементарной трудовой деятельности со значительной помощью других лиц или невозможность (противопоказанность) ее осуществления в связи с имеющимися значительно выраженными нарушениями функций организма.

7. Степень ограничения основных категорий жизнедеятельности человека определяется исходя из оценки их отклонения от нормы, соответствующей определенному периоду (возрасту) биологического развития человека.

IV. КРИТЕРИЙ ДЛЯ УСТАНОВЛЕНИЯ ИНВАЛИДНОСТИ

8. Критерием для установления инвалидности лицу в возрасте 18 лет и старше является нарушение здоровья со II и более выраженной степенью стойких нарушений функций организма человека (в диапазоне от 40 до 100 процентов), обусловленное заболеваниями, последствиями травм или дефектами, приводящее к ограничению 2-й или 3-й степени выраженности одной из основных категорий жизнедеятельности человека или 1-й степени выраженности ограничений двух и более категорий жизнедеятельности человека в их различных сочетаниях, определяющих необходимость его социальной защиты.

Критерием для установления инвалидности лицу в возрасте до 18 лет является нарушение здоровья со 2-й и более выраженной степенью стойких нарушений функций организма человека (в диапазоне от 40 до 100 процентов), обусловленное заболеваниями, последствиями травм или дефектами, приводящее к ограничению любой категории жизнедеятельности человека и любой из трех степеней выраженности ограничений каждой из основных категорий жизнедеятельности, определяющих необходимость социальной защиты ребенка.

(Пункт в редакции, введенной в действие с 9 августа 2016 года приказом Минтруда России от 5 июля 2016 года № 346н.)

V. КРИТЕРИИ ДЛЯ УСТАНОВЛЕНИЯ ГРУПП ИНВАЛИДНОСТИ

9. Критерии для установления групп инвалидности применяются после установления гражданину инвалидности в соответствии с критерием установления инвалидности, предусмотренным пунктом 8 настоящих классификаций и критериев.

10. Критерием для установления первой группы инвалидности является нарушение здоровья человека с IV степенью выраженности стойких нарушений функций организма человека (в диапазоне от 90 до 100 процентов), обусловленное заболеваниями, последствиями травм или дефектами.

11. Критерием для установления второй группы инвалидности является нарушение здоровья челове-

ка с III степенью выраженности стойких нарушений функций организма (в диапазоне от 70 до 80 процентов), обусловленное заболеваниями, последствиями травм или дефектами.

12. Критерием для установления третьей группы инвалидности является нарушение здоровья человека со II степенью выраженности стойких нарушений функций организма (в диапазоне от 40 до 60 процентов), обусловленное заболеваниями, последствиями травм или дефектами.

13. Категория «ребенок-инвалид» устанавливается при наличии у ребенка II, III либо IV степени выраженности стойких нарушений функций организма (в диапазоне от 40 до 100 процентов), обусловленных заболеваниями, последствиями травм и дефектами.

Научно-популярное издание

Бубновский Сергей Михайлович

Я ВЫБИРАЮ ЗДОРОВЬЕ! ВЫХОД ЕСТЬ!

Ответственный редактор *Э. Саляхова*
Выпускающий редактор *А. Сергеева*
Художественный редактор *С. Власов*
Технический редактор *О. Лёвкин*
Компьютерная верстка *О. Шувалова*
Корректор *Е. Холявченко*

ООО «Издательство «Эксмо»
123308, Москва, ул. Зорге, д. 1. Тел.: 8 (495) 411-68-86.
Home page: www.eksmo.ru   E-mail: info@eksmo.ru
Өндіруші: «ЭКСМО» АҚБ Баспасы, 123308, Мәскеу, Ресей, Зорге көшесі, 1 үй.
Тел.: 8 (495) 411-68-86.
Home page: www.eksmo.ru   E-mail: info@eksmo.ru.
Тауар белгісі: «Эксмо»
Интернет-магазин : www.book24.kz
Интернет-дүкен : www.book24.kz
Импортёр в Республику Казахстан ТОО «РДЦ-Алматы».
Қазақстан Республикасындағы импорттаушы «РДЦ-Алматы» ЖШС.
Дистрибьютор и представитель по приему претензий на продукцию,
в Республике Казахстан: ТОО «РДЦ-Алматы»
Қазақстан Республикасында дистрибьютор және өнім бойынша арыз-талаптарды
қабылдаушының өкілі «РДЦ-Алматы» ЖШС,
Алматы қ., Домбровский көш., 3«а», литер Б, офис 1.
Тел.: 8 (727) 251-59-90/91/92; E-mail: RDC-Almaty@eksmo.kz
Өнімнің жарамдылық мерзімі шектелмеген.
Сертификация туралы ақпарат сайтта: www.eksmo.ru/certification

Сведения о подтверждении соответствия издания согласно законодательству РФ
о техническом регулировании можно получить на сайте Издательства «Эксмо»
www.eksmo.ru/certification
Өндірген мемлекет: Ресей. Сертификация қарастырылмаған

Подписано в печать 29.08.2018. Формат 84x108^1/$_{32}$.
Гарнитура «Мириад». Печать офсетная. Усл. печ. л. 12,6.
Тираж 6000 экз. Заказ 8430.

Отпечатано с готовых файлов заказчика
в АО «Первая Образцовая типография»,
филиал «УЛЬЯНОВСКИЙ ДОМ ПЕЧАТИ»
432980, г. Ульяновск, ул. Гончарова, 14

Оптовая торговля книгами «Эксмо»:
ООО «ТД «Эксмо». 123308, г. Москва, ул.Зорге, д.1, многоканальный тел.: 411-50-74.
E-mail: **reception@eksmo-sale.ru**

По вопросам приобретения книг «Эксмо» зарубежными оптовыми
покупателями обращаться в отдел зарубежных продаж ТД «Эксмо»
E-mail: **international@eksmo-sale.ru**

*International Sales: International wholesale customers should contact
Foreign Sales Department of Trading House «Eksmo» for their orders.*
international@eksmo-sale.ru

По вопросам заказа книг корпоративным клиентам, в том числе в специальном
оформлении, обращаться по тел.: *+7 (495) 411-68-59, доб. 2261.*
E-mail: **ivanova.ey@eksmo.ru**

Оптовая торговля бумажно-беловыми
и канцелярскими товарами для школы и офиса «Канц-Эксмо»:
Компания «Канц-Эксмо»: 142702, Московская обл., Ленинский р-н, г. Видное-2,
Белокаменное ш., д. 1, а/я 5. Тел.:/факс +7 (495) 745-28-87 (многоканальный).
e-mail: **kanc@eksmo-sale.ru**, сайт: **www.kanc-eksmo.ru**

В Санкт-Петербурге: в магазине «Парк Культуры и Чтения БУКВОЕД», Невский пр-т, д. 46.
Тел.: +7(812)601-0-601, **www.bookvoed.ru**

Полный ассортимент книг издательства «Эксмо» для оптовых покупателей:
Москва. ООО «Торговый Дом «Эксмо». 123308, г. Москва, ул.Зорге, д.1.
Телефон: +7 (495) 411-50-74. **E-mail:** reception@eksmo-sale.ru
Нижний Новгород. Филиал «Торгового Дома «Эксмо» в Нижнем Новгороде. Адрес: 603094,
г. Нижний Новгород, ул. Карпинского, д. 29, бизнес-парк «Грин Плаза».
Телефон: +7 (831) 216-15-91 (92, 93, 94). **E-mail:** reception@eksmonn.ru
Санкт-Петербург. ООО «СЗКО». Адрес: 192029, г. Санкт-Петербург, пр. Обуховской Обороны,
д. 84, лит. «Е». Телефон: +7 (812) 365-46-03 / 04. **E-mail:** server@szko.ru
Екатеринбург. Филиал ООО «Издательство Эксмо» в г. Екатеринбурге. Адрес: 620024,
г. Екатеринбург, ул. Новинская, д. 2щ. Телефон: +7 (343) 272-72-01 (02/03/04/05/06/08).
E-mail: petrova.ea@ekat.eksmo.ru
Самара. Филиал ООО «Издательство «Эксмо» в г. Самаре.
Адрес: 443052, г. Самара, пр-т Кирова, д. 75/1, лит. «Е».
Телефон: +7(846)207-55-50. **E-mail:** RDC-samara@mail.ru
Ростов-на-Дону. Филиал ООО «Издательство «Эксмо» в г. Ростове-на-Дону. Адрес: 344023,
г. Ростов-на-Дону, ул. Страны Советов, д. 44 А. Телефон: +7(863) 303-62-10. **E-mail:** info@rnd.eksmo.ru
Центр оптово-розничных продаж Cash&Carry в г. Ростове-на-Дону. Адрес: 344023,
г. Ростов-на-Дону, ул. Страны Советов, д. 44 В. Телефон: (863) 303-62-10.
Режим работы: с 9-00 до 19-00. **E-mail:** rostov.mag@rnd.eksmo.ru
Новосибирск. Филиал ООО «Издательство «Эксмо» в г. Новосибирске. Адрес: 630015,
г. Новосибирск, Комбинатский пер., д. 3. Телефон: +7(383) 289-91-42. **E-mail:** eksmo-nsk@yandex.ru
Хабаровск. Обособленное подразделение в г. Хабаровске. Адрес: 680000, г. Хабаровск,
пер. Дзержинского, д. 24, литера Б, офис 1. Телефон: +7(4212) 910-120. **E-mail:** eksmo-khv@mail.ru
Тюмень. Филиал ООО «Издательство «Эксмо» в г. Тюмени.
Центр оптово-розничных продаж Cash&Carry в г. Тюмени.
Адрес: 625022, г. Тюмень, ул. Алебашевская, д. 9А (ТЦ Перестройка+).
Телефон: +7 (3452) 21-53-96/ 97/ 98. **E-mail:** eksmo-tumen@mail.ru
Краснодар. ООО «Издательство «Эксмо» Обособленное подразделение в г. Краснодаре

ISBN 978-5-04-089131-3

9 785040 891313 >

16+

МНОГОФУНКЦИОНАЛЬНЫЙ ТРЕНАЖЕР БУБНОВСКОГО
от производителя!

7 причин купить наш тренажер:

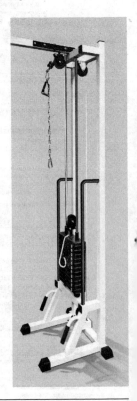

1. разработан на основе тридцатилетней врачебной практики лечения позвоночника и суставов по авторским чертежам;

2. тренажер сертифицирован в соответствии с нормами РФ (сертификат соответствия № 0902871);

3. применяется как в общеоздоровительной, так и в лечебной практике как изделие медицинского назначения (регистрационное удост. № ФСР2011/10997);

4. основным достоинством тренажера является режим декомпрессионного действия, в связи с чем исключены компрессионные (повреждающие) воздействия на ось позвоночника и суставные поверхности;

5. безопасен при использовании и максимально компактен, не занимает пространство и по-своему украшает интерьер помещения;

6. видеоинструкция для ознакомления с правилами использования тренажера;

7. заводская гарантия.

Офис продаж в Москве:

Ул. Авиамоторная, д.8, стр. 3
(пн-чт: с 10.00 до 18.00; пт: с 10.00 до 17.00)
Тел.: 8(903)510 50 40,
(495) 641 81 86, (495) 230 31 15
Интернет-магазин: www.кинезис.рф

Запись на прием к доктору Бубновскому
по телефону: 8 (495) 646 02 76
e-mail: seminar@bubnovsky.org

УРОКИ ЗДОРОВЬЯ
ДОКТОРА БУБНОВСКОГО

Каждый второй человек хоть раз испытал боли
в спине или суставах.
50% обратившихся к нам
с проблемами позвоночника и суставов
имеют неправильные или «избыточные» диагнозы,
а 80% - еще и заболевания других органов.

Что вы делаете для здоровья?

Приглашаем посетить оздоровительные
семинары-тренинги, посвященные проблемам
позвоночника и суставов.

Занятия проводит основатель метода
современной кинезитерапии,
профессор, доктор медицинских наук

БУБНОВСКИЙ СЕРГЕЙ МИХАЙЛОВИЧ

Запись по телефону:
8 (495) 646 02 76

сайт: www.bubnovsky.ru

e-mail: seminar@bubnovsky.org

Страница FB:
Уроки здоровья доктора Бубновского

ВИДЕОСОВЕТЫ ОТ ДОКТОРА БУБНОВСКОГО

https://www.youtube.com/БубновскийТВ
vk.com/tvbubnovsky
facebook.com/tvbubnovsky
telegram.me/tvbubnovsky
ok.ru/tvbubnovsky
twitter.com/tvbubnovsky

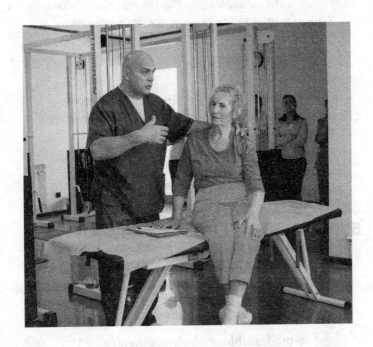

Запись на прием к доктору Бубновскому
по телефону: 8 (495) 646 02 76
e-mail: seminar@bubnovsky.org